Sérgio Queiroz é um pastor ousado e e
pacta os de longe e transforma os de perto. A nova obra de Sérgio e Ed Stetzer demonstra, por meio de uma assertiva e oportuna pesquisa, que a igreja está diante de uma grande oportunidade. Os autores vivem, lideram e estudam com profundidade o tema proposto e nos mostram que é tempo de abraçarmos nossa missão e cumprirmos o chamado de sermos um movimento vivo e transformacional, que aponta, recebe e acolhe. Os leitores poderão se informar e se inspirar com os princípios e dados deste livro rico, repensando tradicionalismos e construindo novos posicionamentos para este momento da nossa história.

Carlito Paes
Pastor da Igreja da Cidade, em São José dos Campos (SP), e da Rede de Igrejas da Cidade, palestrante e escritor

Baseado em princípios bíblicos e pesquisa de ponta sobre igrejas transformacionais no Brasil, Sérgio Queiroz e Ed Stetzer apresentam novas ideias que ajudarão as igrejas a experimentar renovação espiritual e a promover o impacto do reino de Deus em suas comunidades.

Craig Ott
Diretor do programa de doutorado em Estudos Interculturais da Trinity Evangelical Divinity School (EUA). Coautor de *Plantação global de igrejas*

Este livro comprova de forma bíblica, científica e histórica que, no Brasil, uma igreja saudável não é aquela que segue uma fórmula eclesiástica. Pelo contrário, ela vive e proclama a verdade do evangelho com os braços abertos do amor, na cultura onde está inserida. Leitura obrigatória para todos os líderes.

Ebenézer Bittencourt
Diretor executivo do Instituto Haggai do Brasil

Este livro não poderia chegar em momento mais oportuno. O cenário de um Brasil que geme as aflições de dias turbulentos, gerando desânimo e indignação, e o contexto que desafia a Igreja a viver os princípios cristãos na sua integralidade tornam o ambiente propício para que os líderes da Igreja façam uma profunda reflexão e tracem planos fundamentados na simplicidade do evangelho que impacta e transforma e em informações extraídas da sua própria realidade. Este livro oferece uma grande oportunidade para essa reflexão e também para ações efetivas. É tempo de avançar, multiplicando o amor de Deus!

Fernando Brandão
Diretor executivo da Junta de Missões Nacionais
da Convenção Batista Brasileira

Ao oferecer parâmetros bíblicos para medir a vida ministerial da igreja, esta obra culturalmente sensível torna-se leitura altamente encorajadora para pastores e plantadores de igrejas que perseveram em seu serviço à glória de Deus e ao seu povo com alegria, fidelidade e constância. E que mais igrejas transformacionais sejam edificadas!

Franklin Ferreira
Pastor da Igreja da Trindade e diretor geral do Seminário Martin
Bucer, em São José dos Campos (SP)

Durante a leitura deste livro, fui desafiado, confrontado e inspirado. Também me emocionei, encorajado pelos testemunhos de transformação. Alegrei-me, acima de tudo, ao constatar que uma inteligência eclesiológica crítica apresentou-se a serviço da igreja brasileira, superando, por um lado, a mera importação de métodos (e truques) estrangeiros e, por outro, a monótona birra antieclesiástica travestida de "responsabilidade social". Estimulados por dados empíricos relevantes, princípios bíblicos e científicos, paixão espiritual e o amplo teste da experiência, somos levados por Sérgio Queiroz e Ed Stetzer a um oásis em que fé e pesquisa, evangelismo e responsabilidade, ortodoxia e transformação são inseparáveis.

Guilherme de Carvalho
Diretor do L'Abri Fellowship Brasil

Li com muito entusiasmo o livro dos meus amigos Sérgio Queiroz e Ed Stetzer. Fruto de uma pesquisa bem criteriosa, *Igrejas que transformam o Brasil* é leitura obrigatória para plantadores e revitalizadores de igrejas brasileiras. Uma das lições preciosas deste livro é que igrejas transformacionais são fundamentadas na sã doutrina e na pregação fiel das Escrituras. Certamente recomendo a leitura!

Jonas Madureira
Doutor em Filosofia, pastor da Igreja Batista da Palavra e professor de
teologia do Seminário Martin Bucer

Sempre fico muito feliz ao ver autores brasileiros publicando suas reflexões e pesquisas. Aos poucos, vamos nos libertando do cativeiro das "publicações importadas". Cada vez mais precisamos de produções contextuais, que tratam nossas realidades, nossos problemas e desafios. Esse processo de imitação (de fora) só será vencido na medida e na proporção em que nossas reflexões forem ouvidas e consideradas com seriedade. É gratificante ler este livro, fruto de muita pesquisa bíblica e bibliográfica e de investigação de campo. Certamente, este é um material indispensável na busca de sermos uma igreja (missional) que transforma.

JORGE HENRIQUE BARRO
Doutor em Teologia e fundador e professor da Faculdade Teológica Sul-Americana

Sérgio Queiroz e Ed Stetzer nos dão uma visão convincente do que é uma igreja que afeta profundamente o mundo ao seu redor. Se a sua igreja está se sentindo velha e sem vida ou você tem uma suspeita irritante de que há algo mais a ser alcançado, então mergulhe nas páginas deste livro e seja encorajado com uma visão renovada.

MATT CHANDLER
Presidente da Acts 29 Church Planting Network e pastor titular da The Village Church (EUA)

Rigor metodológico, sensibilidade cultural, contextualização para a realidade brasileira, ortodoxia bíblica, fundamentação na cosmovisão cristã e um profundo amor pela igreja e pela obra de Deus fazem desta obra de Sérgio Queiroz e Ed Stetzer um marco na história do evangelho em nosso país. O Brasil não precisa de mais igrejas. Com algumas exceções, já estamos presentes em quase todas as comunidades do país. O Brasil precisa de igrejas transformadoras, que sinalizem o reino em toda a sua plenitude. Este livro nos aponta alguns caminhos para isso.

MAURICIO CUNHA
Presidente do CADI BRASIL

Este livro me causa dupla alegria. Por um lado, me alegra porque se baseia em uma cuidadosa pesquisa científica sobre o que está acontecendo com muitas igrejas no Brasil. Isso demonstra que, para saber o que está acontecendo com a igreja brasileira, já não é indispensável recorrer a traduções de estudos realizados por investigadores estrangeiros, que não têm experiência pessoal com o que descrevem. Além disso, me alegra porque revela que o crescimento das igrejas no Brasil não é apenas numérico, mas é o crescimento de um movimento revolucionário e inspirador, que põe em evidência a ação transformadora do Espírito Santo, tanto na igreja como na sociedade.

René Padilla
Presidente emérito da Fundação Kairós, diretor das Edições Kairós e presidente emérito da Rede Miqueias em nível global

Considero este livro um grande presente para o Brasil e para os cristãos. Com base na análise de igrejas e comunidades exemplares, podemos nos inspirar e aprender a ser verdadeiramente parte de uma agência do reino de Deus. Uma das ações mais impactantes da igreja é a realização de atos de amor ao próximo, que transformam a realidade e criam esperança e justiça. Esta obra apresenta os resultados de uma análise teológica e científica que mostra ser possível viver para a glória de Deus enquanto se toca o coração das pessoas. Também dá a certeza de que é possível influenciar as estruturas da sociedade com base nas boas-novas de Cristo. Este livro é uma oportunidade para você, leitor, participar de uma revolução.

William Douglas
Juiz federal, palestrante e escritor

ED STETZER
SÉRGIO QUEIROZ

IGREJAS QUE TRANSFORMAM O BRASIL

Sinais de um movimento revolucionário e inspirador

Os textos das referências bíblicas foram extraídos da *Nova Versão Transformadora* (NVT), da Editora Mundo Cristão, salvo indicação específica. Usado com permissão da Tyndale House Publishers, Inc. Eventuais destaques nos textos bíblicos e citações em geral referem-se a grifos do autor.

CIP-Brasil. Catalogação na publicação
Sindicato Nacional dos Editores de Livros, RJ

S871i

Stezer, Ed
Igrejas que transformam o Brasil : sinais de um movimento revolucionário e inspirador / Ed Stezer, Sérgio Queiroz. - 1. ed. - São Paulo : Mundo Cristão, 2017.
256 p. ; 21 cm.

ISBN: 978-85-433-0214-0

1. Cristianismo. 2. Vida cristã. I. Queiroz, Sérgio. II. Título.

17-42354 CDD: 248.4
CDU: 248.4

Categoria: Cristianismo e sociedade

Publicado no Brasil com todos os direitos reservados por:
Editora Mundo Cristão
Rua Antônio Carlos Tacconi, 79, São Paulo, SP, Brasil, CEP 04810-020
Telefone: (11) 2127-4147
www.mundocristao.com.br

1ª edição: agosto de 2017
2ª reimpressão: 2018

Por Ed

Para as minhas três filhas, Kristen, Jaclyn e Kaitlyn. A graça de Deus que vejo em ação em sua vida me dá esperança para o futuro da Igreja.

Para Donna, minha esposa e melhor amiga. Obrigado pela constante alegria que você traz para minha vida.

Por Sérgio

Para Sérgio Augusto, Esther e Débora. Meus filhos, busquem sempre no Senhor a direção necessária, para que nunca deixem de estar em missão.

Para Samara Queiroz, minha amada esposa e parceira de ministério. Como é bom viver as lutas e as glórias do evangelho ao seu lado!

Por Ed e Sérgio

Para os milhares de líderes anônimos da igreja brasileira, que, sem terem se ajoelhado nos altares da teologia da prosperidade ou do liberalismo teológico, lutam para honrar a missão que receberam de Deus em meio aos seus múltiplos e complexos contextos; passando muitas vezes por carências financeiras e outras profundas provações enquanto testemunham fielmente do puro e simples evangelho de Jesus Cristo. Não desistam, pois o Senhor continua edificando a sua Igreja e usando-a para a sua glória e para a alegria da humanidade. O trabalho de vocês não tem sido em vão!

Sumário

Agradecimentos

A extensa pesquisa que serviu de base para o presente livro contou com a participação de homens e mulheres valiosos e dedicados, que amam a igreja de Cristo. Antes de mais nada, somos gratos aos que fazem a LifeWay Research, a quem honramos nas pessoas de Thom Rainer e Scott McConnell, por terem acreditado no estudo sobre as igrejas que transformam o Brasil e o apoiado. A competência acadêmica e o amor de vocês por este projeto foram indispensáveis para que pudéssemos chegar até aqui.

Somos profundamente gratos à Fundação Cidade Viva, que financiou o projeto e participou ativamente de todas as suas etapas, incluindo a coleta e parte da análise dos dados.

Agradecemos também a todos que nos auxiliaram na primeira fase da pesquisa. Louvamos a Deus pela vida de Maria José Santiago, que cuidou tão bem da divisão das tarefas e da compilação dos resultados repassados por Paula Munt, Thayce Hauschild, Daniela Guerra, Kalina Grisi, Aida Falcão, Melfra Pontes, Liosa Sobreira, Stephany Rodrigues, Elton Fiorentini, Thiago Evaldo, Mirian Pontes, Daniela Belota, Gabriella Duarte e Lêda Diniz. Obrigado por terem feito as ligações telefônicas para as quase mil e quinhentas igrejas pesquisadas nessa fase. Vocês contribuíram para o êxito deste projeto.

Na segunda fase da pesquisa, que teve enfoque qualitativo, contamos com a valiosa ajuda de vários membros do Conselho de Presbíteros da Igreja Cidade Viva, amigos que tornaram esse desafio mais fácil de ser enfrentado. Desse modo, agradecemos a Pedro Viana, José Marcelo Paes, Leonardo Pessoa, Saulo Duarte, Thiago Dutra, Daniel Correia e Davi Viana, por terem auxiliado nas entrevistas com pastores titulares das igrejas selecionadas após a primeira fase da pesquisa. Obrigado pelo amor e pela dedicação de vocês.

Também agradecemos a Josemar Bandeira por todo o apoio na realização das etapas iniciais da terceira fase da pesquisa, que consistiu na validação de um instrumento bastante útil na análise da saúde e da missionalidade da igreja brasileira e cuja disponibilização ocorrerá brevemente.

Apresentação

A Igreja de Jesus Cristo no Brasil sofre de um problema crônico: a falta de pesquisas sérias, realizadas com metodologia científica, que mostrem radiografias reais da situação do Corpo de Cristo em nossa nação. Por esse motivo, líderes, acadêmicos e pensadores da Igreja brasileira ficam à mercê de pesquisas realizadas sobretudo por organizações dos Estados Unidos e de países europeus, a fim de tentar especular, com base em paralelos imperfeitos, como anda a saúde das instituições eclesiásticas em território tupiniquim.

Naturalmente, isso gera amplos desvios de entendimento, com percepções que carregam enormes margens de erro. A Igreja no Brasil tem DNA próprio, sotaque sem igual, fenótipo exclusivo. Ela não pode ser comparada com total exatidão à igreja de outros países. Não há como equivaler de forma absoluta uma congregação que fica no interior do sertão do Piauí ou dentro de uma favela em São Paulo a outra que fica nos Alpes suíços ou no centro de Manhattan. Se o Deus e a Palavra são os mesmos, as experiências de vida, a influência cultural e a trajetória histórica são bastante distintas. Por isso, há muito tempo o Brasil carece de estudos sérios que revelem com precisão a realidade de nossas igrejas.

Ed Stetzer e Sérgio Queiroz sanaram esse problema. *Igrejas que transformam o Brasil* fornece uma pesquisa feita com metodologia academicamente testada e aprovada, que oferta aos líderes e estudiosos brasileiros uma ferramenta preciosa de entendimento da realidade das igrejas evangélicas de nosso país. Mais que isso: o trabalho que essa dedicada dupla realizou não apenas fala sobre igrejas, mas foca na saúde espiritual delas.

É com alegria e entendimento da importância do trabalho realizado por Ed e Sérgio que a Editora Mundo Cristão publica os resultados desse esforço. Nossa esperança é que os dados e as percepções apresentados nesta obra contribuam com reflexões que tragam cada vez mais qualidade e profundidade às igrejas brasileiras. Parabéns aos autores, a quem a Igreja agradece.

Boa leitura!

MAURÍCIO ZÁGARI
Editor

Prefácio

Recebi a honrosa missão de prefaciar o livro *Igrejas que transformam o Brasil*, da lavra de Ed Stetzer e Sérgio Queiroz. Esta é uma obra de grande envergadura intelectual. Trata-se de uma pesquisa ricamente fundamentada, realizada em centenas de igrejas no solo pátrio. Os resultados desse gigantesco trabalho é compartilhado neste livro. Isso, por si só, já recomendaria esta obra aos leitores interessados na Igreja de Cristo em nossa nação. Escrevi este prefácio com vívido entusiasmo, e isso por algumas razões eloquentes.

Primeiro, os autores são homens comprometidos com Deus e sua Palavra. Num contexto religioso de tantas vozes dissonantes, eles erguem a voz para apontar-nos o caminho indicado pela Palavra de Deus. Não se deixam seduzir pelas técnicas do pragmatismo moderno nem se deixam engessar pelo tradicionalismo sem vida.

Segundo, os autores trazem à baila uma pesquisa robusta, histórica, científica e assaz oportuna, que lançará luz sobre muitos aspectos da prática pastoral e da dinâmica da Igreja. Certamente, alguns hão de discordar de alguns pontos; outros hão de cobrar a abordagem de outros temas que não foram tratados. Porém, os autores garimparam o que consideram a melhor abordagem para encorajar a Igreja evangélica brasileira a ser uma igreja saudável neste primeiro quadrante do século 21.

Terceiro, a obra colhe experiências de dezenas de pastores, de diferentes denominações, nas mais diversas regiões e realidades do nosso país. O livro é um manancial de informações preciosas. É um manual de crescimento saudável da igreja. Traz uma abordagem bíblica, histórica e relevante, com riquíssima contribuição para os estudiosos do tema e um tônico de bendito encorajamento aos que anseiam ver uma igreja viva, operante e cheia do Espírito.

Quarto, o livro será uma ferramenta importante para pastores e líderes, bem como para todos aqueles que amam a Igreja. Aborda sinais de um movimento revolucionário e inspirador. Não foge aos principais temas afetos à vida comunitária, como oração, adoração, comunhão, testemunho e relacionamentos. É claro que essa pesquisa não tem como propósito esgotar o assunto. É o começo de uma jornada que deve ser empreendida por outros. Esperamos que esse interesse pela Igreja evangélica brasileira desperte novos pesquisadores, que entrarão nessa lida para abrir novas fronteiras de análise, deixando para as gerações pósteras novas e ricas contribuições.

Finalmente, tenho a profunda expectativa de que este livro será um recurso poderoso nas mãos de Deus para encorajar pastores e líderes. Um instrumento importante para compreendermos melhor nossa cultura e fincarmos nossas raízes mais fundo no solo da verdade. Nosso desafio é ser uma igreja fiel e relevante, que seja instrumento de Deus na transformação do Brasil!

HERNANDES DIAS LOPES
Pastor titular da Primeira Igreja Presbiteriana de Vitória (ES),
conferencista e escritor

Introdução

A vida dos primeiros cristãos não era fácil. Afinal, a mensagem que tinham recebido e passaram a pôr em prática desafiava não só a religiosidade judaica de então, mas também os pressupostos filosóficos e culturais greco-romanos. Aquelas pessoas não tinham poder político, muitas haviam sido abandonadas pela família e, a partir de certo momento, os judeus convertidos ao cristianismo começaram a enfrentar a pobreza material em razão das perseguições, que se tornavam cada vez mais intensas, especialmente em Jerusalém.

Aqueles seguidores de Jesus tinham tudo para ter desaparecido ainda no primeiro século, mas eles resistiram corajosamente às intempéries da vida, sem empunhar armas e abençoando incondicionalmente quem os perseguia. Sustentados pela graça, foram capazes de enfrentar grandes adversidades por não prestarem adoração ao imperador romano, entre elas ser mortos na cruz ou devorados por leões em espetáculos públicos. Por essa razão, muitos dos primeiros cristãos são, sem dúvida, fonte de inspiração para nós.

Ao escrever para os coríntios, o apóstolo Paulo deu testemunho das igrejas da região da Macedônia, ressaltando a semelhança que elas tinham com o caráter de Cristo e usando-as como modelo de generosidade e de entrega a Deus e ao próximo:

> Agora, irmãos, queremos que saibam o que Deus, em sua graça, tem feito por meio das igrejas da Macedônia. Elas têm sido provadas com muitas aflições, mas sua grande alegria e extrema pobreza transbordaram em rica generosidade. Posso testemunhar que deram não apenas o que podiam, mas muito além disso, e o fizeram por iniciativa própria. Eles nos suplicaram repetidamente o privilégio de participar da oferta ao povo santo. Fizeram até mais do que esperávamos, pois seu primeiro passo foi entregar-se ao Senhor e a nós, como era desejo de Deus.
>
> 2Coríntios 8.1-5

É bem verdade que a união da Igreja com o Estado no século 4º, sob as "bênçãos" do imperador Constantino, livrou os cristãos de perserguições e muitos outros dissabores, mas, em contrapartida, plantou as sementes para a subversão do papel essencial da igreja como agência do reino de Deus na terra, abrindo portas para politicagens, clericalismo, guerras "santas" e imposições religiosas contrárias aos direitos humanos mais básicos.

Porém, onde a chama do amor genuíno a Deus e ao próximo continuou acesa no decurso dos dois mil anos da conturbada história do cristianismo, a verdadeira Igreja de Jesus produziu transformações surpreendentes, apesar de ser formada por homens e mulheres imperfeitos. Isso porque eles se entregaram nas mãos do Salvador como instrumentos de amor e justiça.

Ninguém que tenha integridade intelectual pode negar, por exemplo, o papel da Igreja e do cristianismo na fundação e no desenvolvimento das melhores universidades do mundo, na educação em geral, no cuidado com os órfãos, na abolição da escravatura, na construção de hospitais, na ajuda humanitária e na própria formulação dos pressupostos essenciais do que hoje conhecemos como direitos humanos. Por essa razão, acreditamos demais na Igreja de Cristo e no bem que ela pode fazer ao mundo, especialmente quando age como deve agir.

Temos de reconhecer que muitos personagens da história da Igreja cometeram grandes absurdos, como na Inquisição e nas

Cruzadas. Ao fazê-lo, mancharam o testemunho do verdadeiro evangelho e envergonharam os cristãos autênticos. Ainda assim, cremos que a Noiva de Cristo é, sim, a agência escolhida por Deus para a proclamação das boas-novas da salvação e para a demonstração do amor divino pela humanidade e por toda a criação. As ações práticas dos verdadeiros cristãos sinalizam o reino de Deus, que foi inaugurado com a primeira vinda de Cristo e cuja consumação ocorrerá no seu prometido retorno.

Nesse processo, há igrejas locais mais fiéis ao seu chamado, outras menos fiéis, e outras que estão profundamente enfermas. As últimas não passam de monumentos egocêntricos, que até podem utilizar símbolos do cristianismo, mas não fariam falta na região onde estão localizadas caso fechassem as portas.

A Igreja de Jesus é chamada de coluna e alicerce da verdade (cf. 1Tm 3.15), mas também de sal da terra e luz do mundo (cf. Mt 5.13-14), entre outras lindas metáforas. Porém, ser coluna da verdade sem ser sal da terra e luz do mundo fará de uma igreja apenas a guardiã de uma ortodoxia encastelada, insensível e paralisante, sem vida, sem brilho e sem promover transformações reais na vida de seus membros ou em seu campo missionário. Por outro lado, uma igreja amorosa, socialmente engajada e relevante em seus contextos, mas que esqueceu a sã doutrina bíblica e rendeu-se ao relativismo ético, não passa de uma ONG do bem: será até capaz de promover melhoras na educação, na justiça social, na defesa do meio ambiente e em tantas outras esferas da vida humana, mas não conseguirá contribuir para solucionar a mais catastrófica condição da humanidade, que é seu afastamento do Criador em razão do pecado.

Igrejas saudáveis são aquelas que encontram o equilíbrio e, sem abrir mão da sã doutrina, levam o amor ao próximo às últimas consequências; proclamam o amor de Deus por meio da morte de Jesus na cruz do Calvário; e demonstram esse amor mediante obras de amor prático pelas pessoas e pela criação como um todo.

Em Apocalipse, Jesus dirigiu-se a sete igrejas da província da antiga Ásia Menor. Pela pena do apóstolo João, o Senhor disse palavras doces e graciosas ao expressar o seu contentamento com a maneira como algumas delas estavam cumprindo a missão que dele receberam. Ao reportar-se à igreja de Éfeso, por exemplo, Jesus disse: "Sei de tudo que você faz. Vi seu trabalho árduo e sua perseverança, e sei que não tolera os perversos. Examinou as pretensões dos que se dizem apóstolos, mas não são, e descobriu que são mentirosos. Sofreu por meu nome com paciência, sem desistir" (Ap 2.2-3). Em outra passagem, Jesus dirigiu-se à igreja de Filadélfia: "Sei de tudo que você faz. Abri para você uma porta que ninguém pode fechar. Você tem pouca força, mas ainda assim obedeceu à minha palavra e não negou meu nome" (Ap 3.8).

Porém, para a maioria daquelas igrejas, as palavras não foram doces. Jesus mencionou vários problemas e pecados presentes na vida delas, tratando-as com profunda assertividade e firmeza. Ele chegou a dizer que vomitaria uma delas de sua boca caso não se arrependesse de sua mornidão espiritual (cf. Ap 3.14-21). Quando lemos sobre o que o Senhor tinha contra elas, é nítido que as exortações podem ser igualmente aplicadas a muitas igrejas de nossos dias, que não estão cumprindo seu papel com verdade, amor, excelência, persistência e contínua obediência a Deus.

Nos últimos cinquenta anos, especialmente após o início do chamado Movimento de Crescimento de Igrejas, cujo fundador foi o missiólogo Donald McGavran, centenas de livros têm sido escritos com a intenção de ajudar líderes cristãos a encontrar caminhos para a revitalização e o crescimento da Igreja no Ocidente pós-moderno e pós-cristão. O declínio da influência do cristianismo e o enfraquecimento de muitas denominações cristãs em várias partes do mundo contemporâneo tornaram-se uma realidade, especialmente após o Iluminismo. Nos anos 1980, o teólogo americano Peter Wagner definiu o Movimento de Crescimento de Igrejas como uma disciplina cuidadosa que investigava a natureza, a função e a saúde das igrejas cristãs, à medida que elas buscavam o cumprimento da Grande Comissão de Jesus de fazer discípulos de todas as nações (cf. Mt 28.19-20). Assim, esse movimento combinou a reflexão sobre os princípios eternos da Palavra de Deus com lições práticas advindas da ciências sociais e do comportamento, utilizando-se das bases referenciais desenvolvidas por McGavran.[1]

A despeito da grande influência do movimento, especialmente nos Estados Unidos e no Canadá, muitos teólogos e missiólogos começaram a criticar o extremo pragmatismo que ele acabou abraçando em suas fases posteriores, com ênfase exacerbada em métodos de *marketing* e técnicas de crescimento, praticados sem a realização de uma sólida e profunda reflexão teológica e missiológica. Por essa razão, nos últimos 25 anos, novas discussões a respeito do desenvolvimento da Igreja começaram a ser feitas não mais com vistas ao alcance de um mero crescimento numérico — o que está longe de ser um problema na América Latina —, mas, especialmente, buscando a saúde das igrejas locais. Desse modo, em vez de falarem de crescimento institucional, muitos começaram a abraçar a ideia de uma busca pelo vigor espiritual das igrejas, enquanto outros começaram a enfatizar a redescoberta da sua missionalidade na pós-modernidade.

Livros começaram a ser escritos propondo que fossem abandonadas as medidas de sucesso baseadas meramente no aumento do número de pessoas, no orçamento e no tamanho dos templos. Dentre as obras que focaram na saúde da igreja, três ganharam notoriedade no Brasil: *Uma Igreja com propósitos*, de Rick Warren; *O desenvolvimento natural da Igreja*, de Christian A. Schwarz; e, mais recentemente, *Nove marcas de uma igreja saudável*, de Mark Dever.

De fato, a saúde das igrejas locais deve ser um tema de contínua preocupação e de profunda reflexão caso desejemos ser fiéis ao nosso chamado e ao cumprimento do mandato que Jesus deu aos seus discípulos no final do evangelho de Mateus: "Ide por todo o mundo". Além disso, refletir e pôr em prática as questões relacionadas à saúde e à missão da Igreja são tarefas imprescindíveis para todos os que não querem ouvir de Deus que suas comunidades apenas têm a reputação de estar vivas quando, na realidade, estão mortas (cf. Ap 3.1).

Não temos nenhuma dúvida de que o principal mandato da Igreja de Cristo é apresentar a mensagem de salvação e transformação para todo o mundo e fazer discípulos de todas as nações. Em relação ao cumprimento desse mandato, o crescimento da Igreja evangélica no Brasil tem sido digno de nota. No entanto, algumas questões precisam ser avaliadas: Estão as igrejas no Brasil sendo e fazendo o que elas foram chamadas para ser e fazer? Quão saudáveis são as igrejas evangélicas brasileiras? Como ampliar e fortalecer a capacidade das igrejas de contribuir para a transformação de seu contexto com a poderosa mensagem do evangelho? Quais são os obstáculos específicos que impedem a saúde e a missionalidade das igrejas no Brasil e como lidar com isso?

De acordo com o missiólogo ucraniano George Peters, as igrejas locais tornam-se a manifestação da Igreja global em cada realidade contextual.[2] Por outro lado, quando uma expressão local da Igreja de Cristo sofre com algum tipo de doença ou encontra-se em processo de morte lenta, todo o Corpo de Cristo sofre e também é afetado (cf. 1Co 12.26). Afinal, a Igreja é agente da Santa Trindade para trazer mudança ao mundo, sendo também parte do plano trinitário para desenvolver os valores e as realidades do reino de Deus na vida das pessoas. Assim, para que tenha valor, o nosso serviço a Deus precisa promover e fortalecer tanto a igreja local como a Igreja universal.[3] Por essa razão, quando refletimos com responsabilidade sobre as marcas de saúde e também sobre as enfermidades das igrejas locais, estamos demonstrando autenticidade e uma preocupação necessária com a Igreja de Cristo em sua realidade global.

Também é importante mencionar que um dos grandes desafios da Igreja brasileira é a escassez de informações e de análise crítica sobre ela mesma. De fato, livros com enfoque teológico e missiológico que sejam baseados em pesquisas sobre a Igreja evangélica brasileira são raros. Na verdade, a imensa maioria dos livros a que se tem acesso no Brasil sobre a temática da saúde e da missão da Igreja são traduções de obras estrangeiras, e essa não é uma realidade desejável. Não porque os livros produzidos nos Estados Unidos ou na Europa sobre a vida missional da Igreja não sejam bons o suficiente, mas porque os brasileiros precisam conhecer e aprender mais sobre suas próprias realidades contextuais, a fim de refletir com mais profundidade teológica. Só assim é possível contextualizar a mensagem eterna do evangelho dentro das complexas e fascinantes estruturas culturais do maior país da América Latina e, desse modo, contribuir para a plantação e o desenvolvimento de igrejas locais saudáveis e missionais, que sejam capazes de transformar o Brasil para a glória de Deus.

Neste livro o leitor encontrará reflexões teológicas e missiológicas, e também terá acesso aos resultados de uma das maiores pesquisas já realizadas sobre a Igreja brasileira e seus desafios. O conteúdo desta obra revela apenas a primeira parte do Projeto da Igreja Transformacional Brasileira, liderado pela LifeWay Research, uma das maiores e mais conceituadas instituições cristãs de pesquisa em todo o mundo, localizada nos Estados Unidos, e pela Fundação Cidade Viva, do Brasil, instituída pela Primeira Igreja Batista do Bessamar, em João Pessoa (PB), que atua em vários eixos, como educação, cultura, direito e cidadania, além de promover ações de evangelismo e transformação social.

Este livro apresenta uma cuidadosa compilação do trabalho realizado durante cerca de cinco anos, por dezenas de pessoas, e amplamente revisado por nossa equipe de pesquisa, envolvendo uma análise de aproximadamente 1.500 igrejas de diversos tamanhos e denominações. Mas ele não é um fim em si mesmo. Estamos comprometidos a ajudar a Igreja do Brasil a ser bem-sucedida, e este livro é apenas o início do processo para se alcançar esse fim.

Além disso, o leitor conhecerá nesta obra histórias reais de comunidades cristãs de diversas regiões do país, de diferentes denominações e tamanhos, que não se renderam às dificuldades impostas por seu contexto local. Essas igrejas resolveram ser leais cumpridoras da missão dada por Cristo, com fidelidade bíblica e sensibilidade cultural, e, por isso, estão transformando sua realidade. Por essa razão, são aqui chamadas de *igrejas transformacionais*, cujas características essenciais identificadas na pesquisa serão tratadas no decorrer do livro.

Se você é cristão, nós o convidamos a conhecer mais sobre igrejas que estão transformando o Brasil e a aprender mais acerca do que elas estão fazendo, para que também possa se envolver efetivamente com a sua comunidade e mergulhar em um movimento de transformação sem precedentes na história do Brasil.

Se você não é cristão, nós o convidamos a entender que, a despeito da presente confusão midiática, existe um grupo de igrejas que não abraça os pressupostos da teologia da prosperidade, que ama as pessoas e respeita as diferenças, que não pretende impor a sua fé e que deseja a transformação do Brasil à medida que os valores do reino de Deus são sinalizados e vividos com amor e serviço devotados a Cristo e ao próximo. Sejamos inspirados pelas igrejas que estão transformando o Brasil.

1

Esperança pela transformação

Para grande parte dos seguidores de Jesus, as palavras *transformação* e *igreja* são as duas mais importantes e poderosas do mundo. Os cristãos valorizam o conceito de "transformação" porque mudança radical é algo que está no cerne da mensagem cristã e porque o poder do evangelho muda tudo — vidas, igrejas e comunidades. Os cristãos amam a "igreja" porque Deus escolheu esse tipo de comunidade para mostrar as muitas formas da sabedoria divina. "O plano de Deus era mostrar a todos os governantes e autoridades nos domínios celestiais, por meio da igreja, as muitas formas da sabedoria divina" (Ef 3.10).

Quando Deus transforma vidas, ele não apenas constrói templos para o Espírito Santo nas pessoas; ele edifica sua Igreja por meio da adição de vidas ao seu Corpo. O Senhor usa os indivíduos presentes na igreja para realizar a transformação de outros indivíduos e, consequentemente, o crescimento da Igreja. A Igreja é a ferramenta e o instrumento de Deus para a realização dos propósitos do seu reino.

Os conceitos de transformação e igreja trabalham juntos, complementam um ao outro e se conectam um ao outro. Quando se põem juntos não apenas os substantivos *transformação* e *igreja*, mas se reúnem a verdadeira ocorrência da transformação e a comunidade de pessoas chamada igreja, o resultado é poderoso e maravilhoso, pois representa o cumprimento dos planos de Deus.

Embora a transformação não seja um item negociável para a Igreja cristã, mas algo que deveria ser natural e esperado, tal realidade não é a norma para muitas igrejas. Imaginamos que vamos ver transformação, mas o mais comum é vermos estagnação, paralisia e, muitas vezes, idolatria institucional. O plano de Deus é que "todos nós, dos quais o véu foi removido, [possamos] ver e refletir a glória do Senhor" (2Co 3.18). Isso significa que nós (como indivíduos) e "todos nós" (como igreja) devemos ver essa transformação. Transformar "gradativamente à sua imagem gloriosa" deve ser a regra, mas muito frequentemente é a exceção.

Nossa paixão é ajudar a Igreja a ver, aspirar e alcançar a transformação bíblica. Nosso anseio por entender como Deus transforma as pessoas e as comunidades por meio de sua Igreja nos levou a assumir esta pesquisa — uma das maiores do seu tipo já realizadas no Brasil. Juntamente com outros líderes, dedicamo-nos completamente a esse projeto com o objetivo de entender como algumas igrejas estão experimentando essa transformação hoje.

Mudança

Não há como evitar a mudança. Já ouviu a frase "A única coisa imutável é que as mudanças vão continuar acontecendo"? Trata-se de um truísmo construído sobre a realidade de que a mudança faz parte da própria vida. Na maioria das vezes, nós não precisamos fazer nada para produzir mudanças — elas simplesmente acontecem. A cada dia encontramos todo tipo de novos desenvolvimentos, bons ou maus. Não importa o que façamos, a mudança vem para todos. Simplesmente fique parado e a mudança vai chegar até você, sem que possa impedir. Nós podemos, no entanto, escolher abraçá-la ou resistir a ela.

Com relação ao reino de Deus, podemos escolher o tipo de mudança que o faz avançar na direção do mundo a fim de transformá-lo, ou podemos nos afastar, seguindo na direção de uma subcultura *gospel* que tenta nos isolar do mundo. Neste exato momento, estamos diante de oportunidades de mudanças de paradigma que podem produzir transformação nos indivíduos, nas igrejas e em comunidades inteiras. Vamos nos envolver ou resistir? O que a Igreja fará? Terá medo de correr riscos e sujar as mãos para não ser confundida com os pecadores, ou tomará decisões corajosas no sentido de envolver-se na missão de Deus?

Nós, Ed e Sérgio, passamos a maior parte de nossa vida adulta como líderes a serviço de igrejas. Durante esses anos, vimos Deus transformar pessoas pelo poder do evangelho. Afinal, a transformação está no cerne da missão do Senhor à humanidade. Ele se alegra em nos tirar do domínio das trevas e nos conduzir para o reino da luz, capacitando-nos, em seguida, como agentes de seu reino. Na condição de Corpo de Cristo, somos os instrumentos escolhidos por Deus para entregar a mensagem de transformação ao próximo, tanto na comunidade local quanto por todo o mundo. Transmitir essa mensagem é a nossa missão de vida.

Uma alternativa escapista a essa necessária missão de transformação é cavar um buraco e aprofundá-lo cada vez mais para nos escondermos nele. É exatamente isso o que muitas igrejas têm feito, preferindo, às vezes de maneira inconsciente, a estagnação. Outro grande problema é que parece haver pouca gente interessada em algum tipo de progresso espiritual. Em lugar de discípulos maduros que vivem como missionários de Cristo ao mundo, vemos pessoas contentes em andar em círculos, entretidas com as programações eclesiásticas ou mesmo cuidando do próprio umbigo.

Deus nos chama a provocar um impacto transformador no mundo, e não para promover um carnaval de atividades frenéticas para nós mesmos. Se desejamos causar esse impacto, precisamos nos envolver na missão de Deus por causa dele mesmo e de acordo com o que ele espera de nós. Líderes cristãos devem abandonar a lógica de entreter os consumidores de bens espirituais e precisam envolvê-los na missão de Cristo, lutando para transformar espectadores em missionários ativos nos seus contextos.

Nos últimos tempos, está na moda tratar a Igreja com desprezo. A Internet revela isso com clareza, pois é fácil ver em blogues, vídeos e nas redes sociais todo tipo de pessoas dando todo tipo de tiros na Noiva de Cristo. Elas fazem isso por múltiplas razões: muitas estão desiludidas com a igreja em que foram criadas; outras estão desanimadas em razão do declínio de algumas denominações ou de escândalos envolvendo padres e pastores, uma geração mais jovem está frustrada com a aparente apatia da Igreja em relação às causas ligadas à justiça social, há ainda as que estão angustiadas pelo fato de a igreja não modernizar os seus métodos. Algumas estão aflitas porque a Igreja perdeu seus modos ancestrais. Seja como for, há uma enormidade de críticas à igreja emergente, à igreja voltada aos descrentes, às igrejas missionais, às igrejas tradicionais, às igrejas distribuídas em vários locais da cidade, às igrejas *on-line*, às igrejas antigas, às igrejas novas… e a lista prossegue. Às vezes, parece que existem tantas reclamações quanto o número de cristãos, sendo algumas delas bem-intencionadas e justas.

Contudo, apesar da surra que a Noiva de Cristo tem levado, e a despeito de todo o desprezo que tem recebido, Deus não se cansou dela, pois a ama. Paulo escreveu: "Tenho certeza de que aquele que começou a boa obra em vocês irá completá-la até o dia em que Cristo Jesus voltar" (Fp 1.6). Muito embora nosso costume seja o de transformar esse versículo em algo para nós, individualmente, ele fala sobre a Igreja também: Deus iniciou a obra, está trabalhando na Igreja agora, e um dia terminará a obra. Afinal de contas, é a Igreja dele. Nós somos parceiros na graça (cf. Fp 1.7), participantes e receptores da graça que produz transformação. Para os cristãos cheios do Espírito Santo, não há missão mais urgente, e é essa missão que move o Corpo de Cristo. O que não temos — falta essa que nos impede de sair de buracos e de meras rotinas religiosas rumo à missão transformacional — é a clareza de foco que vem da descoberta de que a graça de Deus é mais fascinante e empolgante do que qualquer outra coisa — inclusive nossas falhas e limitações.

Uma missão importante

Quando estamos em uma missão importante, nosso foco é intenso e nossa concentração é máxima. Lembro-me de quando eu, Sérgio, fui convidado pela primeira vez para dar uma aula em uma classe de escola bíblica. Eu era convertido havia dois anos e tinha acabado de entrar no seminário teológico. Um dos pastores da igreja me ligou no sábado à noite dizendo que o professor da sala dos homens não poderia dar aula no domingo, pois havia adoecido. Aquela notícia me deixou preocupado, pois o professor que eu substituiria era excelente, amado pela turma e extremamente conhecedor da Bíblia. Já eu era um jovem inexperiente e com um conhecimento sofrível das Escrituras. Sem falar que só tinha algumas horas para preparar a aula.

Diante do desafio, me tranquei no quarto com a Bíblia e com o único livro que tinha sobre o assunto, e preparei a melhor aula possível. Eu tinha uma missão; por isso, precisava permanecer focado e dar o melhor de mim, superando meus limites. Foi em razão de um desafio aceito e de uma missão levada muito a sério que iniciei a minha caminhada como professor e pregador da Palavra de Deus.

Quando iniciamos o Projeto da Igreja Transformacional — que inclui a pesquisa cujos resultados serão revelados neste livro, bem como os recursos que passarão a ser desenvolvidos para auxiliar a Igreja de Cristo no Brasil —, descobrimos que a missão de algumas igrejas locais se torna complicada em razão de distrações, acidentes de percurso e falta de foco. Mas também fomos capazes de testemunhar a jornada bem-sucedida que muitas comunidades de fé estão fazendo, pois têm levado a sério a missão de transformar vidas. O objetivo de uma igreja transformacional é fazer discípulos, e nada as impedirá de realizar essa tarefa.

Embora haja barreiras e perigos em abundância, essas comunidades encontram uma maneira de permanecer no rumo certo. Elas são capazes de produzir uma convergência de valores e atividades que resulta na transformação dos indivíduos e do meio em que eles estão inseridos.

Quando essas igrejas que transformam seguem adiante na missão que Deus lhes deu, elas provocam uma inquietação espiritual nas pessoas, pois compartilham do desejo pela transformação em um nível mais profundo do que a maioria das igrejas. Onde muitas igrejas desejam fazer a diferença, as igrejas transformacionais de fato fazem a diferença. Elas têm uma consciência crescente da necessidade de mudança nas pessoas, na Igreja e na sociedade.

Algumas práticas são comuns a todas igrejas transformacionais, mas elas não são um amontoado de fórmulas. As práticas bíblicas seguidas nessas comunidades vão além de uma simples receita de bolo. Embora possamos mostrar alguns métodos utilizados pelas igrejas pesquisadas, o que queremos recomendar aqui são os princípios por trás deles.

Com muita frequência, a Igreja tem se tornado um símbolo de reunião para os de dentro (os cristãos), em vez de também ser um símbolo de disseminação em favor dos outros (os do lado de fora). A Igreja foi planejada por Deus para estar em ação no mundo, e não plantada numa rua sem saída da vizinhança, esperando que os necessitados apareçam na porta. A Bíblia retrata os cristãos como um povo mobilizador; portanto, o que acontece na igreja deveria acontecer e se refletir na comunidade que a cerca. A vida dos cristãos deveria autenticar a mensagem que proclamamos e os ministérios nos quais estamos envolvidos; mas, o que normalmente autenticamos, por ser mais cômodo, são as programações que fazemos na igreja para a própria igreja, o que nos dá a ilusão de que estamos cumprindo a missão.

Nossa paixão ministerial como pesquisadores que também são homens da igreja é muito simples: colocar o povo de Deus em missão. É por isso que escrevemos e falamos sobre revitalização da igreja, igreja missional e até mesmo sobre plantação de igrejas. Tudo isso é muito importante, mas essas coisas são o resultado, e não o mecanismo. A transformação é o mecanismo, e o evangelho é o meio. O evangelho é, ele próprio, o poder de Deus para a transformação — Paulo diz que ele cresce e dá fruto (cf. Cl 1.6). O evangelho transforma o indivíduo, depois transforma a igreja e, então, o mundo. Por isso ele é importante, mais do que qualquer outra coisa.

É possível que você perceba que não é membro de uma igreja transformacional. Talvez a ideia de uma igreja passiva, estagnada em um canto da vizinhança, descreva melhor a comunidade de fé em que você congrega. Não precisa ser assim: você pode se envolver na missão de transformação liderada pelo próprio Deus. Isso é possível! Para tanto, basta observar os valores e as práticas das igrejas transformacionais, apontados neste livro. Esses conceitos o ajudarão a refletir e a tomar decisões concretas dentro da sua realidade.

Por que acreditamos na Igreja?

As notícias não são boas. Nos Estados Unidos, a quantidade de conversões a Jesus está declinando. No Brasil, os sem-igreja estão aumentando. Uma análise do Censo do Instituto Brasileiro de Geografia e Estatística (IBGE) mostra que, de 2000 a 2010, a quantidade de membros de denominações históricas, como a Congregacional e a Presbiteriana, despencou pela primeira vez na história do Brasil. O evangelho da prosperidade parece ser a mensagem dominante na televisão brasileira, e os escândalos envolvendo políticos "cristãos" levantam suspeitas sobre o próprio DNA da Igreja evangélica nacional. Sem falar que há igrejas cheias de pessoas que têm conhecimento religioso, mas que não vivem em missão, desperdiçando seu tempo com críticas àqueles que vivem seu chamado. As igrejas de hoje conhecem muito bem essa dor.

Embora as más notícias sejam abundantes, a boa notícia é que vemos tendências opostas, positivas e frutíferas em muitas igrejas transformacionais. Elas estão caminhando na contramão das tendências e nos passam uma mensagem de ânimo em meio ao caos. Portanto, há razões para ter boas esperanças, por meio das iniciativas e do estudo dessas igrejas que estão transformando realidades no Brasil — muitas vezes no anonimato e com poucos recursos.

Uma igreja transformacional não é simplesmente uma "igreja boa" ou uma "igreja que faz coisas boas". Também não é necessariamente uma grande igreja que oferece boas programações, pregação extraordinária e louvor excelente. Uma igreja transformacional é aquela que se concentra tenazmente na capacidade do evangelho de mudar a vida das pessoas. Ela vê resultados apropriados para seu contexto e detém os valores corretos que apoiam a missão transformadora, pois descobriu que a transformação é muito mais do que uma estratégia eclesiástica melhor. Tal igreja não é só um grupo de pessoas que acreditam que o cristianismo seja a escolha correta e que ele oferece uma maneira melhor de viver, mas é a comunidade da aliança que se apega à crença de que Deus vai mudar radicalmente vidas e comunidades inteiras. Essa igreja tem um otimismo grandioso quanto às habilidades ilimitadas de Deus.

O pastor e escritor americano Jim Herrington descreve a transformação como "um processo de dentro para fora e de baixo para cima". Ele diz o seguinte em relação a esse processo de transformação:

> Tem a ver com alcançar uma massa crítica de cristãos que estejam de tal maneira capacitados pelo evangelho de Cristo a ponto de poder mudar tudo em que tocarem — família, ambiente de trabalho, escolas, negócios. Assim que tal massa crítica é alcançada, o poder do Deus vivo provoca mudanças significativas nos problemas que assolam nossas cidades hoje — pobreza, crime, vícios, gangues, divórcio, violência — e um aumento dramático nas coisas que

> caracterizam o reino de Deus — misericórdia, justiça, prosperidade (especialmente para os pobres) e compaixão.[1]

A mudança que buscamos é a que realmente importa: a de indivíduos, igrejas e sociedade. Se isso não ocorre, há algo de errado com o nosso cristianismo, e não com Cristo. A transformação promovida pelo evangelho sempre leva a mudanças amplas e profundas. O poder do evangelho alcança todos os recônditos da vida e da sociedade, penetra em todos os lugares, planta sementes e também dá frutos. As boas-novas de Jesus mudam tudo. Vemos isso em reavivamentos e reformas ao longo de toda a história, mas o reavivamento galês é um exemplo poderoso. No País de Gales, em 1904, Deus usou o anseio por reavivamento de um jovem mineiro de carvão chamado Owen Roberts para realizar uma transformação extraordinária.

O amor compassivo de Roberts pelas pessoas o levou a chamar os cristãos para que se comprometessem a ouvir a Deus, ser transformados por seu poder e viver uma fé pública autêntica. À medida que mais e mais crentes galeses deram ouvidos a esse chamado, Deus se valeu do espírito submisso da Igreja do País de Gales. O anseio e o amor de Roberts pelos que estavam fora da fé inspiraram um fervor evangelístico e missional diferente de tudo o que já fora visto naquela região. Sobre o que aconteceu durante aqueles dias no País de Gales, os professores americanos Malcolm McDow e Alvin Reid escreveram:

> Assim que Deus respondeu ao seu anseio, até mesmo os jornais publicaram os resultados. Em dois meses, 70.000 se converteram, chegando a 85.000 em cinco meses e mais de 100.000 em seis meses. Juízes receberam luvas brancas, significando que não havia casos a serem julgados. O alcoolismo caiu pela metade. Houve momentos em que centenas se levantaram para declarar sua rendição a Cristo como Senhor. A restituição foi feita; apostadores e outras pessoas normalmente não tocadas pelo ministério da igreja vieram a Cristo.[2]

O reavivamento galês mostra o que é possível quando se experimenta o poder da transformação realizada por Deus. O mundo não apenas notará, mas também experimentará uma mudança em si mesmo quando o povo de Deus começar a agir como Jesus, quando a Igreja viver como Corpo de Cristo.

Acreditamos que Deus está chamando a Igreja a agir e a viver em uma missão com esse mesmo poder de transformação nos dias de hoje. Temos essa esperança, e ela se encontra nas Escrituras. Não é uma esperança como a daqueles que estão fora do chamado de Deus. Muitas vezes, pensamos em esperança em termos de uma mera possibilidade. Com isso, dizemos: "Espero que isso venha a acontecer" ou "Tenho altas expectativas", mas esse tipo de esperança sugere algo que pode ser frustrado. Na economia de Deus, nossa esperança é segura.

As promessas de Deus estão expostas na Bíblia, e ele nunca mente. Por causa disso, precisamos cultivar a esperança mesmo quando não há motivo aparente para tal, pois o evangelho de Cristo será sempre o poder de Deus, e sua Palavra não voltará vazia. Desse modo, podemos nos apegar firmes a uma esperança sólida, que não nos envergonhará. E depositamos nossa esperança em igrejas que se valem da firme promessa de Deus de transformar vidas por meio do evangelho. O Senhor segue sendo fiel, a despeito dos desafios e do desânimo desta era ministerial.

A presença e a ação de Deus

A Palavra de Deus é sempre o melhor ponto de partida, pois ela sempre fala com mais clareza e verdade do que qualquer outra fonte em que possamos pesquisar. Aquilo que foi inspirado pelo Espírito Santo milhares de anos atrás tem atualidade impressionante. Embora nós e nossas igrejas variemos em relevância, a Bíblia é sempre relevante. Uma das maiores promessas que ela faz é que, embora a Igreja se sinta e realmente seja imperfeita, Deus está sempre trabalhando com seu povo.

Na Palavra encontramos, por exemplo, trechos esclarecedores, como Zacarias 4, que retrata a chegada de um bando de judeus maltrapilhos a Jerusalém após o cativeiro babilônico. Podemos imaginar que havia apenas resquícios de esperança no coração cansado daquelas pessoas, à medida que se aproximavam da antiga capital de Judá. Depois de setenta anos de exílio, a maioria havia apenas ouvido falar da grandeza daquela cidade. Quando finalmente chegaram ao monte de escombros daquilo que um dia fora o templo, possivelmente se sentiram completamente desmoralizados e abatidos. A analogia não é perfeita, mas muitas pessoas que hoje analisam a situação da Igreja brasileira veem uma descrição similar: precisamos empreender reconstruções diante de um contexto de caos.

Os judeus da época de Zacarias reconstruíram o templo de Jerusalém. Será que, de forma análoga, conseguimos seguir adiante em meio às nossas dores e reconstruir as igrejas feridas de hoje? Os judeus terminaram encontrando esperança nos propósitos de Deus e, de igual modo, as igrejas com práticas transformacionais também estão se apegando a essa esperança.

Há muitas razões pelas quais algumas igrejas brasileiras deixaram de ser transformacionais. Para algumas, é falta de foco. Para outras, é a confusão externa ou a dissensão interna. Há as que estão ocupadas demais querendo manter o *status quo*, enquanto outras estão perdidas em processos internos, comissões e comitês. Certas comunidades de fé tornaram-se idólatras de si mesmas; já outras abandonaram a sã doutrina.

Além disso, muitos líderes eclesiásticos estão esgotados. Alguns estão fisicamente cansados por causa dos muitos anos no ministério; outros encontram-se emocionalmente exaustos em razão da rotina rigorosa do trabalho pastoral. Há os que estão espiritualmente abatidos por causa da manipulação, da desonestidade e do abuso dos membros de suas congregações. Outros estão fartos de patinar, chegando rapidamente à percepção esmagadora de que sua igreja está afundando em meio à impotência espiritual. Temos encontrado muitos líderes derrotados que simplesmente tentam sobreviver. Muito perderam o anseio de arrebatar sua comunidade para Cristo. Estão esgotados e exauridos, tais quais os judeus que retornaram do exílio babilônico.

As mesmas situações se repetem ao longo da história e, por isso mesmo, conseguimos encontrar princípios para a renovação e a cura nas antigas, mas sempre atuais, palavras de Zacarias, vindas do Espírito Santo. O profeta ouviu de Deus e foi usado no plano divino para os israelitas que voltavam a Jerusalém. Zacarias teve uma série de visões espirituais, e a quinta delas tem a ver com a mensagem da igreja transformacional:

> Então o anjo que falava comigo voltou e me despertou, como se eu tivesse estado dormindo. "O que você vê agora?", ele perguntou. Respondi: "Vejo um candelabro de ouro maciço, com uma vasilha de azeite em cima. Ao redor da vasilha há sete lâmpadas, e cada lâmpada tem sete tubos com pavios. Vejo também duas oliveiras, uma de cada lado da vasilha". Então perguntei ao anjo: "O que é isto, meu senhor?". "Você não sabe?", perguntou o anjo. "Não, meu senhor", respondi.
>
> Zacarias 4.1-5

A primeira coisa que percebemos na visão de Zacarias é um candelabro de ouro maciço com uma vasilha em cima. O leitor antigo dessa profecia reconheceria imediatamente que o candelabro de ouro maciço representava pureza, mas algo além da pureza metálica é representado aqui. Os candelabros, por sua função, emanam luz. A pureza do ouro e a luz que emanava das velas representam Deus Pai. A seguir, notamos sete lâmpadas no candelabro e sete tubos, por onde o azeite flui para a lâmpada. Esse arranjo particular revela o fluxo de azeite de sete maneiras diferentes, para produzir sete luzes diferentes. Na Bíblia, o número sete é o de plenitude, perfeição, totalidade. Por toda a Escritura, o azeite simboliza Deus Espírito Santo. Assim, ao apresentar o candelabro luminoso, as sete lâmpadas e os sete tubos de azeite, a visão fala sobre a presença divina.

Não pode haver renovação, reavivamento ou reconstrução sem uma experiência com a presença de Deus que a tudo consome e a tudo ilumina.

Se a iniciativa da igreja transformacional não tiver a ver com o Senhor, seu poder e sua força, não queremos fazer parte dela. É fato que este projeto teve e tem a ver com pesquisa, gira em torno de centenas de horas de entrevistas feitas por nossos consultores e se baseia no enorme volume de papel resultante das pesquisas qualitativas. Mas tudo isso são ferramentas que o mundo dos negócios também pode usar. Nossa intenção, porém, está naquilo que Deus está fazendo. A igreja transformacional é a Igreja de Deus para a missão divina de alcançar o mundo com a mensagem de redenção por meio de Cristo. Qualquer outra coisa é destituída de valor.

O apóstolo Paulo escreveu à igreja de Roma sobre transformação: "Não imitem o comportamento e os costumes deste mundo, mas deixem que Deus os transforme por meio de uma mudança em seu modo de pensar, a fim de que experimentem a boa, agradável e perfeita vontade de Deus para vocês" (Rm 12.2). Aqui está a lição: nossas lealdades mais íntimas nos moldam, quer nos alinhemos com o mundo quer com Deus. Quando nos submetemos ao Senhor, somos levados a entender sua perfeita vontade. Ainda em Romanos 12, Paulo descreve como as partes do Corpo de Cristo trabalham juntas para o ministério e para a missão. À medida que agimos como Corpo do Senhor, nos tornamos os missionários embaixadores de que nossas comunidades precisam desesperadamente e que Deus soberanamente ordena que sejamos. O coração do evangelho que levamos ao mundo é a transformação. Ela traz liberdade do pecado, do legalismo rígido e da falta de esperança, como Paulo escreveu:

> Pois o Senhor é o Espírito, e onde está o Espírito do Senhor, ali há liberdade. Portanto, todos nós, dos quais o véu foi removido, podemos ver e refletir a glória do Senhor, e o Senhor, que é o Espírito,

nos transforma gradativamente à sua imagem gloriosa, deixando-nos cada vez mais parecidos com ele.

2Coríntios 3.17-18

As igrejas transformacionais estão interessadas em agir para a mudança de vidas de maneira mais profunda do que simplesmente no que se refere a ajudar as pessoas a se tornarem melhores. Há um número suficiente de movimentos de autoajuda no mundo, e a Igreja nem sequer faz esse tipo de coisa particularmente bem. Além disso, criar descrentes bem ajustados e bem-comportados não é o objetivo da missão cristã. As igrejas transformacionais querem ver o evangelho ajudar pessoas a refletir a glória de Deus em nossas cidades, não para criar indivíduos mais felizes e realizados, mas para multiplicar o número daqueles que levam a luz brilhante e que, portanto, magnificam a luz de Cristo mais e mais em cada canto, em cada comunidade e em cada cultura do planeta. A esperança de uma igreja transformacional é ver uma mudança completa de vidas individuais e da cultura como um todo.

A igreja transformacional não é simplesmente mais um programa ou projeto interessante. Temos visto igrejas que estão testemunhando a graça de Deus mudar vidas e a glória divina afetar cidades. Confiamos que, à medida que relatarmos histórias dessas comunidades ao longo dos próximos capítulos, você verá a ação de Deus nesse movimento.

Confiança na força de Deus

A quinta visão de Zacarias mostra que Deus está presente e pronto para fazer uma grande obra na vida de seu povo. A resposta inicial do profeta a essa revelação foi de confusão, como normalmente acontece com os cristãos de hoje. Ele questiona: "O que é isto, meu senhor?", ao que o anjo do Senhor responde: "Você não sabe?". Com franqueza e talvez um pouco de vergonha, Zacarias responde: "Não, meu senhor". A visão continua e Zacarias relata: "Então ele me disse: 'Assim diz o SENHOR a Zorobabel: Não por força, nem por poder, mas pelo meu Espírito, diz o Senhor dos Exércitos'" (Zc 4.4-6).

Lembre-se de que o pronome "me" em "Então ele *me* disse" é uma referência a Zacarias. Contudo, numa interessante mudança de foco, a mensagem entregue é para Zorobabel, líder israelita que conduziu o retorno do primeiro grupo de judeus exilados da Babilônia. Em outras palavras, a mensagem para Zacarias é: "Acorde, levante-se, mova-se e vá dizer para Zorobabel!". Deus está dizendo a Zorobabel que ele está tentando liderar a reconstrução do templo por meio apenas de suas habilidades de liderança, de seus recursos, de seu intelecto. Embora tudo isso sejam dons concedidos por Deus, sem Deus eles não significam nada. Zorobabel é alertado que a obra só pode ser realizada pelo Espírito do Senhor dos Exércitos.

A exortação divina a Zorobabel nos ensina uma importante verdade: os líderes devem deixar sua força para trás, confiando que Deus suprirá a força necessária para a tarefa. Isso é excessivamente difícil, especialmente à medida que o Senhor tende a se mover e trabalhar por meio de ações que nos parecem ineficientes, lentas ou completamente confusas. A realidade é que nós nos consideramos estrategistas e implementadores muito mais capazes, mas qualquer coisa construída sobre plano de homens falhará sempre e totalmente. Somente aquilo que é construído sobre a sabedoria e a ordem do Deus eterno prosperará.

Zorobabel tinha todas as razões humanas para se concentrar nos obstáculos, mas o anjo disse a Zacarias: "Nada será obstáculo para Zorobabel, nem mesmo uma grande montanha; diante dele ela se tornará uma planície! E, quando Zorobabel colocar no lugar a última pedra do templo, o povo gritará: 'É pela graça! É pela graça!'" (Zc 4.7). Uma montanha é de fato um grande obstáculo e, naquela época, era um símbolo de todas as razões humanas pelas quais Zorobabel não poderia liderar os judeus na reconstrução da casa de Deus, como a ameaça das nações vizinhas e a falta de recursos dos israelitas. Mas ouça a resposta de Deus à montanha: "Diante [de Zorobabel você] se tornará uma planície!".

Algo que as igrejas transformacionais descobrem é que Deus é de fato maior e mais poderoso do que qualquer obstáculo ou desafio. É claro que, em teoria, todos os cristãos acreditam nisso. Mas essas igrejas prosseguem em fé, confiando loucamente que, quando Deus disse que a fé do tamanho de um grão de mostarda poderia mover montanhas, ele estava falando a sério.

Os líderes e membros de uma igreja transformacional sentem no fundo da alma que, se Deus for por eles, quem será contra eles? As igrejas com esse perfil encontradas durante este estudo são congregações vicejantes que confiam no Senhor mais do que se preocupam com as montanhas. Elas sabem que os obstáculos estão ali, mas simplesmente confiam que Deus os removerá e os substituirá por sua presença.

Há igrejas demais tentando obter esperança e força da sentimentalidade de uma era já passada do sucesso ministerial. Mas comemorar as vitórias do passado não é vitória. Normalmente, não é nada além de uma invenção cujo propósito é desviar a atenção da derrota. Não há nada de errado com o ato de relembrar aquilo que Deus fez, mas não devemos viver no passado. Assim como os judeus que voltavam do exílio estavam prontos para celebrar aquilo que Deus preparava para os dias deles, as igrejas transformacionais que encontramos estão sempre prontas a seguir adiante com Deus e em sua missão.

Estas palavras concluem a quinta visão: "Depois, recebi outra mensagem do SENHOR: 'Zorobabel lançou os alicerces deste templo'" (Zc 4.8-9). Por meio disso, o líder de fato começou a reconstrução do templo. Ele havia parado, mas o completaria (cf. v. 9). O mais importante dessa passagem é o que o texto bíblico diz em seguida. Embora Zorobabel tenha sido o recurso humano que viabilizou a execução da tarefa, o povo não o exaltou, tampouco elogiou seu plano: eles reconheceram que tudo foi fruto da ação e da força de Deus. E o líder judeu compreendia isso: "Então vocês saberão que o Senhor dos Exércitos me enviou" (v. 9). Quando Deus reconstrói sua casa, as pessoas sabem inegavelmente que se trata de uma obra divina.

O que o Senhor disse a Zorobabel e a Israel por meio de Zacarias aplicava-se a um contexto específico, mas a lição ainda é válida. Não esperamos que Deus trabalhe em sua Igreja, hoje, da mesma maneira que trabalhou ao liderar os israelitas de então, mas temos a esperança de que ele agirá entre nós. Vemos nas páginas do Antigo Testamento que Deus está presente entre seu povo, capacitando e escolhendo homens e mulheres para sua glória redentora e, de igual modo, o Senhor está presente entre nós, atualmente. Não estamos construindo um templo físico, mas Cristo prometeu a presença e o poder divinos a fim de podermos nos envolver em sua missão.

Será que realmente precisamos de mais uma planilha? Outro gráfico de barras? Não. Nós precisamos é de uma faísca de esperança e alegria; faísca essa que surge de uma mensagem tocante sobre a obra de Deus na igreja brasileira de nossos dias, algo que sirva de reflexão para uma nova reforma do cristianismo. Estamos convencidos de que cada leitor e a igreja em que congrega, tais como as igrejas transformacionais que encontramos, podem se tornar mensageiros de esperança, assim como aconteceu nos dias de Zacarias, porque confiamos que o Senhor é um Deus de reconstrução que ainda está em ação e em missão.

Em seu livro *Louco amor*, Francis Chan fala sobre sua paixão pela igreja local por meio de um chamado simples, mas radicalmente necessário: "Volto às Escrituras, vejo como a igreja era em sua forma mais simples e tento recriar aquilo em minha própria igreja. Não estou apresentando nada novo. Estou chamando as pessoas a voltar a ser do jeito que a igreja era. Não estou batendo na igreja. Eu a estou amando".[3] Do mesmo modo, nós, Ed e Sérgio, amamos a igreja. Nós a amamos mais do que amamos estatísticas e estudos. É por isso que grande parte deste livro trata de orientações aos cristãos e às igrejas locais. Podemos criar números e gráficos o dia inteiro, mas achamos que é mais importante deixar que os dados nos levem ao conhecimento, deixar que as conversas com as igrejas transformacionais nos deem direção para que compartilhemos esses conselhos com cada leitor.

Nossas ideias não são melhores do que as de Deus, mas também acreditamos que a Noiva de Cristo está obtendo resultados abaixo do que deveria. Assim, sonhamos e nos dispusemos a descobrir o que é necessário para criar uma igreja transformacional. Nossa única esperança no Projeto da Igreja Transformacional é levar a igreja mais plenamente à missão redentora de Cristo. Por isso, dizemos às igrejas e aos seus líderes: "Deus ainda não desistiu de vocês".

Pedimos ao Senhor que nos dê igrejas transformadas. Chamamos as pessoas a viver vidas transformadas. Em razão do poder abrangente de nosso Deus Todo-poderoso e de seu amor infalível por seu povo e sua missão às ovelhas perdidas, ficamos animados em relação àquilo que ele planeja fazer com nossas igrejas.

2

Uma nova maneira de medir o sucesso

Existe um mote entre os carpinteiros dos Estados Unidos que diz: "Sempre meça duas vezes antes de cortar". Isso vale, especialmente, quando fazemos melhorias nas nossas casas de madeira. Em construção, é imprescindível que você tenha as medidas certas dos materiais que vai usar antes de começar o trabalho, senão corre o risco de encher várias latas de lixo com pedaços de ripas e tábuas cortadas centímetros menos do que deveriam. O mesmo se aplica ao ministério cristão, no qual é preciso ter um cuidado redobrado com cada detalhe relacionado ao todo e a suas partes.

O povo de Deus é chamado nas Escrituras de "templo" ou "casa de Deus". Isso é irônico, pois muitos cristãos ainda acham que o prédio em que a Igreja se reúne é mais importante que as pessoas. O apóstolo Paulo escreveu:

> Juntos, somos sua casa, edificados sobre os alicerces dos apóstolos e dos profetas. E a pedra angular é o próprio Cristo Jesus. Nele somos firmemente unidos, constituindo um templo santo para o Senhor. Por meio dele, vocês também estão sendo edificados como parte dessa habitação, onde Deus vive por seu Espírito.
>
> Efésios 2.20-22

Fica claro que Deus está trabalhando para estruturar o seu povo conjuntamente, edificando a sua Igreja como uma força missionária para o seu reino.

Uma casa, física ou espiritual, começa com um sonho e depois requer projetos executivos. O sonho que temos para a Igreja é a esperança por transformação. Ver Deus edificando os membros de seu Corpo e fazendo deles missionários transformacionais para o seu reino é, talvez, o maior sonho que devemos cultivar no coração. Mas não podemos pular do sonho para a construção sem termos projetos executivos que sejam bíblicos.

Bons projetos dão ao construtor detalhes sobre o encaixe de cada parte da edificação, além de informações preciosas acerca das questões estrututurais, arquitetônicas, hidráulicas e elétricas, entre outras. Bons projetos são o primeiro passo para construções seguras, estáveis e previsíveis. Por outro lado, construções sem projetos ou projetos sem qualidade podem causar danos. Muitas igrejas nos Estados Unidos e no Brasil usaram projetos ruins no passado e, hoje, pagam o preço por isso.

Na pesquisa inicialmente feita nos Estados Unidos e, depois, no Brasil, o "projeto executivo" que tem sido utilizado pelas igrejas transformacionais é o que chamamos de Ciclo Transformacional, no qual constam sete elementos que regem uma igreja desse tipo. À medida que estudamos as igrejas brasileiras, percebemos um repetido padrão de elementos e práticas que acabou por criar um modelo de referência. Quando explicarmos os elementos que compõem o Ciclo Transformacional nos capítulos seguintes, qualquer igreja poderá utilizá-lo para estruturar seus ministérios e cultivar as ambiências corretas. Isso ajudará também aos que estão plantando igrejas a começar fortes e a ter um guia por meio do qual poderão constantemente analisar como a "construção" da igreja está acontecendo.

Em construção, o que você mede é muito importante. A bitola das ferragens, o tamanho das fôrmas e a quantidade de cimento no traço a ser utilizado na concretagem da estrutura são de suma importância para garantir a estabilidade da edificação. Na Igreja não é diferente. Às vezes se perde muito tempo medindo questões secundárias, e o que é de fato estruturante e vital acaba sendo deixado para lá. Medições são realmente importantes, especialmente aquelas que se relacionam à saúde do Corpo de Cristo. À medida que você começa a analisar a sua igreja e o seu ministério, o que se tenta medir é imprescindível para que se possa entender se na comunidade está havendo de fato um impacto que promova sua transformação.

A medida do sucesso da igreja

Como se deve medir o sucesso de uma igreja? Essa questão tem se tornado motivo de longos debates nas últimas décadas. Afinal, o que é uma igreja bem-sucedida? Nós temos servido como pastores e professores e temos o desejo de ver nossas igrejas locais crescerem tanto numericamente quanto em maturidade. Do mesmo modo, de uma perspectiva acadêmica, nós também tentamos ensinar aos estudantes o valor que se deve dar a esse mesmo equilíbrio entre números e maturidade cristã.

Na verdade, não negamos a necessidade de medir o desempenho da igreja. Porém, em vez de eliminar qualquer tipo de análise sobre como estamos desenvolvendo o ministério, como alguns parecem propor, entendemos que o que precisa ser feito é uma mudança dos parâmetros de medida.

Acreditamos, por exemplo, que uma das mais importantes medidas de sucesso de uma igreja local é a verificação de quanto homens e mulheres estão sendo mudados pelo poder do evangelho. Na nossa tradição batista, por exemplo, na qual o batismo é um ato pessoal e consciente, a quantidade de pessoas batizadas é uma boa métrica para saber o nível de missionalidade da igreja. E, no final das contas, é isto que todos desejamos: mais e mais pessoas redimidas e perdoadas pela graça, por meio da fé em Cristo Jesus.

Recém-convertidos são, sem dúvida, uma métrica essencial para todas as igrejas, pois isso é parte integrante da Grande

Comissão: "Portanto, vão e façam discípulos de todas as nações, batizando-os em nome do Pai, do Filho e do Espírito Santo. Ensinem esses novos discípulos a obedecerem a todas as ordens que eu lhes dei. E lembrem-se disto: estou sempre com vocês, até o fim dos tempos" (Mt 28.19-20). Entretanto, outras questões também devem ser vistas como importantes. Nossa esperança é descobrir o que uma igreja transformacional faz para facilitar que mais pessoas se tornem seguidoras de Jesus e cresçam na fé como discípulas de Cristo, enquanto impactam as suas comunidades com o evangelho.

Poucas igrejas usam um sistema de análise interna e de prestação de contas, sem contar, é claro, relatórios de atividades e planilhas de entradas e saídas financeiras. Talvez porque achem que se trata de algo muito intrusivo e muito pouco espiritual. Medir a vida ministerial da igreja por meio de parâmetros bíblicos é algo complexo e demanda muito esforço e devoção.

O velho padrão de medida nos Estados Unidos, e que de certa maneira foi importado por grande parte das igrejas brasileiras, valoriza demais as medidas exteriores de sucesso, que chamamos de três Cs: *cabeças*, *contas bancárias* e *construções*. A cultura ocidental gosta de contar os sinais exteriores de sucesso, e a igreja segue a mesma direção. Assim, normalmente contamos as cabeças (número de pessoas que frequentam as celebrações dominicais e os demais programas da igreja), as contas bancárias (os valores que circulam nos orçamentos da igreja e são aplicados nas suas ações ministeriais) e as construções (tamanho dos prédios, quantidades de cadeiras e outros elementos similares). Desse modo, muitos acham que igrejas bem-sucedidas são aquelas com muita gente nos seus cultos, muito dinheiro nos seus orçamentos e muitos metros quadrados de área construída.

O problema com esse velho padrão de medida é que nos tornamos extremamente absorvidos pela igreja como instituição, passamos a depender demais dos prédios, das estruturas internas e dos recursos financeiros e dificilmente sobreviveríamos em uma situação de caos, de guerra ou de perseguição religiosa. O velho padrão de medida pode até ter o seu valor, mas não pode ser visto como fundamento da vida da Igreja de Cristo. Afinal, o que seria de nossas igrejas se tivéssemos os prédios expropriados e não houvesse dinheiro para pagar as contas? A igreja continuaria existindo como realidade orgânica ou sucumbiria diante da escassez? O que faríamos com o nosso velho padrão ocidental de sucesso em contextos hostis como a cidade de Alepo, na Síria, ou mesmo a Coreia do Norte?

Quanto às cabeças que se contam nas celebrações e demais programações, elas têm, sim, a sua importância, pois se referem a pessoas por quem Jesus morreu na cruz. Entretanto, será que muitos ali não passam de meros espectadores de *performances* clericais? Quanto essas pessoas estão sendo incentivadas e desafiadas biblicamente a encontrar seu lugar no Corpo de Cristo e a viver como discípulas do Mestre, como missionários que promovem transformações?

Por tudo isso, é tempo de repensar os nossos padrões de medida para o que chamamos de sucesso na igreja, e é isso que o Projeto da Igreja Transformacional se propôs a fazer.

As sementes do projeto

Eu, Sérgio, não gosto muito de respostas prontas. Embora tenha grande admiração pelos Estados Unidos, sempre fui um crítico construtivo do extremo pragmatismo aplicado na vida ministerial de muitas igrejas americanas, especialmente a partir dos anos 1980. Essa tendência veio em substituição a uma profunda e necessária reflexão teológica que servisse como ponto de partida para a plantação e o desenvolvimento de igrejas locais saudáveis e missionais. Não podemos negar que essa onda de pragmatismo foi muito celebrada, absorvida e aplicada no Brasil.

Não que eu negue a importância das ciências humanas e sociais na compreensão das realidades que nos cercam, mas sempre tenho um pé atrás quando pastores e líderes querem, consciente ou inconscientemente, tornar a teologia uma mera serva da sociologia, da filosofia política ou da psicologia do comportamento, fazendo-a perder a grandeza de seus próprios pressupostos eternos e a solidez dos seus princípios regentes.

Por essa razão, nos anos 1990, desenvolvi o meu mestrado em Teologia exatamente na área de desenvolvimento de igrejas, com foco na análise crítica de alguns postulados do chamado Movimento de Crescimento de Igrejas. Como vimos anteriormente, a partir dos anos 1960 esse movimento propôs maravilhosos *insights* sobre como as ciências sociais e humanas podem ajudar pastores e missionários na compreensão dos seus contextos, de maneira que possam alcançar as pessoas para Jesus. Porém, o movimento acabou perdendo o rumo nas décadas posteriores, tornando o tema do crescimento eclesiástico algo muito mais relacionado a uma questão de *marketing* e de pregação voltada às necessidades e ao desenvolvimento da autoestima dos ouvintes do que fruto da obediência aos pressupostos bíblicos como linhas mestras para o estabelecimento de uma igreja fiel, saudável e transformacional. Por essa razão, a minha preocupação em pesquisar e ensinar sobre igrejas saudáveis já tem quase vinte anos.

Outra questão que também me incomoda desde os tempos de seminário é a triste conclusão de quanto ainda somos pobres em reflexão e pesquisa sobre a Igreja evangélica brasileira. Com isso não estou afirmando que não tenhamos pesquisas e livros sobre a Igreja do nosso país, mas que, na grande maioria, as publicações sobre eclesiologia a que temos acesso em língua portuguesa são traduções de livros que foram produzidos nos Estados Unidos. Basta procurar na Internet e você encontrará facilmente obras de americanos como George Barna, Peter Wagner, Rick Warren e Timothy Keller. Minha crítica não é contra os livros desses autores, mas contra a falta de mais e mais livros brasileiros.

Precisamos conhecer e escrever mais sobre as nossas realidades eclesiológicas e missiológicas. A Igreja nacional tem seus próprios desafios e oportunidades. É inadmissível continuarmos tão dependentes do que os americanos estão dizendo sobre a Igreja, em um tempo no qual a Igreja brasileira tem tanto a ensinar aos nossos irmãos dos Estados Unidos quanto eles a nós. Basta olharmos as estatísticas oficiais sobre o crescimento da Igreja evangélica aqui e lá e veremos que Deus tem sido muito gracioso com o Brasil nas últimas décadas. Então, por que as igrejas evangélicas históricas em nosso país ainda dependem tanto do que os nossos irmãos americanos têm a dizer?

Em suma, a não aceitação do extremo pragmatismo, aplicado com a finalidade de ver as igrejas crescerem a qualquer custo, e esse santo inconformismo com a quase inexistência de pesquisas amplas sobre a Igreja brasileira vinham guardados no meu coração havia muitos anos. Até que algo inesperado e desafiador aconteceu em um dia gelado de 2011, na cidade de Deerfield, Illinois, nos Estados Unidos.

Eu havia acabado de ler o livro *Transformational Church*, escrito pelo respeitado missiólogo americano Ed Stetzer em parceria com o então presidente da LifeWay Research, Thom Rainer, e lançado em 2010. Com a leitura, eu pretendia me preparar para uma das disciplinas do meu programa de Doutorado na Trinity Evangelical Divinity School, onde teria aulas com o próprio Ed Stetzer.

O livro resultou de um vasto projeto de pesquisa realizado com milhares de igrejas nos Estados Unidos, buscando identificar aquelas que estão transformando os seus contextos. Um dos aspectos que mais me chamaram a atenção no texto foi a extrema preocupação que os autores tiveram em construir os pressupostos do projeto com base em um forte compromisso com a revelação bíblica, embora também tenham utilizado as ferramentas das ciências sociais. Em outras palavras, o ponto de partida da pesquisa foi a reflexão teológica, seguida de uma cuidadosa análise de contexto.

Tal abordagem parecia resolver uma das minhas contínuas preocupações: a superação da inaceitável "escravização" da teologia às ciências sociais e do comportamento. Entretanto, outra preocupação permanecia latente e me impedia de usar no Brasil a totalidade das conclusões apontadas no livro. Afinal, tratava-se de mais uma obra construída com base no contexto americano, não do brasileiro.

No intervalo de uma das aulas na Trinity, convidei Ed para almoçar. Iniciei uma conversa franca, falei sobre a Cidade Viva, instituição que presido no Brasil, e falei das minhas inquietações sobre esse aparente "imperialismo americano" quanto à literatura a que temos acesso em nosso país, especialmente no que se refere à plantação e ao desenvolvimento de igrejas saudáveis e missionais. Para minha alegria, ele concordou e até comentou que certa vez ficara surpreso quando, ao assistir a uma palestra sobre a Igreja brasileira, ouviu um brasileiro utilizando-se de pesquisas feitas por George Barna sobre as igrejas americanas. Ele considerou aquilo uma incoerência.

Depois de alguns meses, Ed Stetzer nos visitou no Brasil e foi firmada uma parceria entre a Fundação Cidade Viva e a LifeWay Research para a realização do que talvez seja uma das maiores pesquisas dessa natureza já realizadas sobre a Igreja evangélica brasileira. Decidimos, então, pesquisar o fenômeno das igrejas transformacionais em solo brasileiro e descobrir quem elas são, o que fazem, que facilidades culturais encontram para o desempenho da missão e que obstáculos enfrentam para se manterem fiéis a Deus, entre outras realidades. Como resultado da pesquisa, resolvemos reescrever o livro, desta vez com foco na realidade brasileira, mantendo, é claro, muito da parte teórica da obra original, mas incluindo os resultados da pesquisa nacional, especialmente nas questões relacionadas aos desafios e às oportunidades vivenciados pelas igrejas transformacionais no Brasil.

A pesquisa sobre a igreja transformacional no Brasil

O foco de nossa pesquisa foi constatar se igrejas saudáveis no Brasil criaram ou não outro padrão de medida de sucesso, diferente dos conhecidos e combalidos três Cs (*cabeças, contas bancárias* e *construções*) — e, assim, se reproduziram ou não o que aconteceu com as igrejas transformacionais nos Estados Unidos. Queríamos descobrir as diferenças entre as igrejas que crescem numericamente e também em maturidade e as que estão estagnadas ou em um processo de morte lenta.

Para isso, a Fundação Cidade Viva e a LifeWay Research desenvolveram um questionário preliminar, que foi aplicado na primeira fase da pesquisa (quantitativa). Assim, entre os anos de 2013 e 2014, foram entrevistados por telefone os pastores titulares de 1.483 igrejas de todos os estados da Federação, amostra aleatoriamente escolhida de um universo de mais de 75 mil igrejas evangélicas oficialmente registradas no Brasil na época da pesquisa. Vale salientar que, em razão de cadastros desatualizados e da indisponibilidade ou mesmo do não desejo de participação de milhares de pastores, foram necessárias ligações para quase dez mil igrejas, a fim de que se completasse a pesquisa com as 1.483 comunidades de fé, amostra significativa para fins de pesquisa científica.[1]

Dentre as perguntas feitas na primeira fase, uma se relacionava ao nível de concordância com a seguinte afirmação: "Nossa igreja considera a Bíblia Sagrada como sendo a autoridade final para a nossa vida". Essa era para nós uma questão fundamental, pois queríamos pesquisar igrejas que construíssem a sua identidade com base na convicção de que Cristo é o Senhor e o caminho da salvação. Tendo a autoridade da Escritura como uma crença básica, poderíamos avançar o estudo sabendo que estávamos lidando com igrejas que abraçam, pelo menos em tese, a ortodoxia. Esse foi um dos pressupostos fundamentais da pesquisa.

É também importante mencionar que, em razão da grande escalada da teologia da prosperidade no Brasil e de os autores entenderem que os pressupostos desse movimento são contrários à sã doutrina, uma questão importante foi incluída no questionário da primeira fase, com o intuito de retirar das etapas posteriores da pesquisa as igrejas que abraçam tal movimento. Portanto, as igrejas cujos pastores titulares concordaram plenamente com a afirmação de que Deus promete dar bênçãos materiais aos seus seguidores como um sinal do seu favor foram automaticamente eliminadas.

Além disso, perguntas a respeito do crescimento numérico, da quantidade de novos convertidos e de batismos, do envolvimento dos membros nos ministérios e grupos pequenos da igreja foram feitas para se averiguar o nível de comprometimento das pessoas para além da simples frequência aos cultos dominicais. Também é importante mencionar que foram analisados aspectos relacionados ao envolvimento dos membros em ações voltadas ao bem da cidade e dos seus habitantes, bem como com a obra missionária.

No final deste livro, incluímos um apêndice que fornece os resultados mais interessantes dessa primeira fase da pesquisa, o que dará ao leitor uma visão geral de algumas características da atual Igreja evangélica brasileira, assim como de algumas tendências muito interessantes.

Encerrada a primeira fase, a de coleta de dados, foram selecionadas cinquenta igrejas que demonstraram um maior nível de saúde e missionalidade, com base nas respostas às perguntas anteriormente referidas. Assim, entre 2015 e 2016, realizamos a segunda fase da pesquisa (qualitativa), que consistiu em uma entrevista aprofundada com o pastor titular de cada uma dessas que, preliminarmente, havíamos considerado ser igrejas transformacionais, tendo em vista que estão crescendo em número e em maturidade, e que seus frequentadores estão se convertendo, servindo em ministérios e vivendo o discipulado em grupos pequenos ou escolas bíblicas, além de viverem como missionários, pregando o evangelho e servindo à comunidade. Nossa intenção era conhecer porfundamente suas dinâmicas, seus valores e seus desafios culturais e contextuais. Muitos dos relevantes posicionamentos pastorais coletados nessa fase estão transcritos neste livro.

Nessa etapa, a entrevista incluiu tópicos relacionados a cultos, discipulado, liderança, evangelismo, grupos pequenos, oração, integração de novas pessoas e nível de engagamento da igreja com as dores do mundo, além dos desafios enfrentados para a saúde em todas as áreas do ministério.

Em uma terceira fase, que ocorreu no primeiro semestre de 2017, milhares de membros de igrejas consideradas transformacionais responderam a um questionário para confirmar ou não as respostas dadas pelos pastores na entrevista aprofundada feita na segunda fase. As perguntas e respostas dessa terceira fase também serão reveladas nos capítulos a seguir.

A trajetória da pesquisa pode ser resumida no seguinte gráfico:

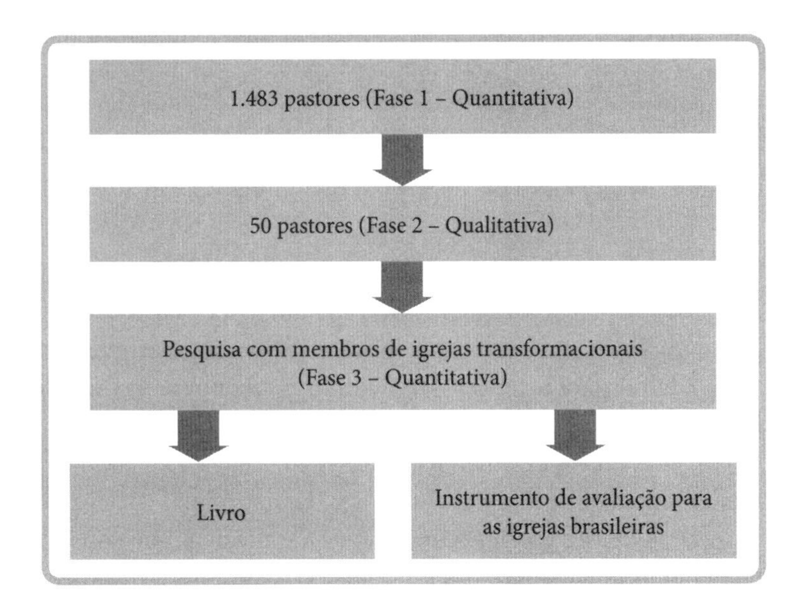

Durante todo o processo de pesquisa, coletamos dados quantitativos (numéricos) e qualitativos (experiências humanas) que, analisados à luz da Bíblia, nos permitiram identificar os princípios que regem uma igreja transformacional no Brasil, assim como os obstáculos enfrentados por elas na busca por saúde e missionalidade. Assim, estamos certos de que os resultados encontrados fornecerão lições, ainda que preliminares, a todos aqueles que querem ajudar suas igrejas a dar os passos necessários em direção a se tornarem uma força transformacional na vida das pessoas e da sociedade em geral.

Decidimos citar neste livro os nomes reais de algumas igrejas pesquisadas. Reconhecemos que sempre há perigos nessa decisão, mas optamos por esse caminho, pois vimos Deus se manifestar em igrejas de diferentes tamanhos e denominações e estamos felizes em celebrar esse fato.

Sabemos que algumas dessas igrejas podem ter mudado para pior no intervalo entre a pesquisa e a publicação do livro; líderes podem ter tropeçado e caído. De fato, sabemos que práticas transformacionais podem ser frágeis e até mesmo temporárias. Todos estamos sujeitos a quedas e a falhas. Entretanto, mesmo assim decidimos citar seus nomes reais e compartilhar suas histórias — porque nas histórias vemos Deus em ação, e isso nos encoraja e nos incentiva à prática do amor e das boas obras (cf. Hb 10.24).

Ciclo Transformacional: o novo padrão de medida

A medida suprema da Igreja revela quanto as pessoas estão seguindo a Cristo e vivendo em missão. Redenção é sempre um valor central para a Igreja. Acreditamos e reconhecemos que o fato de mais e mais pessoas se tornarem discípulos é uma questão-chave, mas outros objetivos da vida cristã devem ser analisados e medidos para que possamos ver a força de uma igreja.

Estamos buscando um novo padrão de medida, que conte o que é importante — pessoas se rendendo a Cristo e vivendo em uma comunidade cristã —, mas também avaliamos outras questões fundamentais. Em sua essência, o novo padrão de medida deve avaliar quão bem-sucedidas as igrejas vêm se mostrando quando o assunto é fazer discípulos de Jesus. Como sabemos, um discípulo é mais que um frequentador de igreja ou um convertido. O discipulado começa na conversão, mas deve ir muito além disso.

Discípulos são aqueles que confiam apenas em Cristo para a salvação e o seguem em um processo de maturidade, tendo o próprio Jesus como modelo. Desse modo, o novo padrão de medida inclui o número de convertidos, mas também considera outros fatores do processo por meio do qual a igreja promove o discipulado cristão.

O novo padrão de medida avalia o que é tangível. Fizemos perguntas que são quantificáveis, mensuráveis, lidando com dados como o número de pessoas que frequentam cultos, estudos bíblicos e treinamentos de liderança; a quantidade de convertidos nos últimos anos; o número de pessoas envolvidas em grupos pequenos, entre outras questões. Não obstante, o novo padrão de medida também avalia o intangível, embora isso possa parecer um contrassenso. Um princípio transformacional como a *intencionalidade relacional*, percebida quando a igreja oferece aos seus membros a oportunidade de desenvolver relacionamentos de longa duração, não pode ser facilmente medido em números, mas sua presença ou ausência é facilmente notada e faz uma grande diferença. A sua presença produz saúde e crescimento, enquanto a sua ausência pode ser uma sentença de morte para a igreja.

Desde o princípio, tanto no projeto realizado nos Estados Unidos quanto no que foi desenvolvido no Brasil, decidimos que a pesquisa dirigiria as nossas conclusões. Na verdade, nós dois, Ed e Sérgio, temos muitas ideias sobre o que faz um forte ministério de discipulado. Contudo, o centro do Projeto da Igreja Transformacional não foi justificar opiniões pretéritas, mas entender os princípios reais que regem uma igreja saudável e missional no Brasil de hoje.

À medida que avançamos na pesquisa, descobrimos a presença de sete elementos principais, que podem ser divididos em três categorias, conforme ilustrado adiante. Não se trata de uma fórmula matemática. Procurávamos nas igrejas pesquisadas práticas espirituais enraizadas nas Escrituras e percebemos que Deus as usa para produzir transformação. Nas igrejas transformacionais, encontramos os princípios que transformam as pessoas para que pareçam mais com Cristo, as comunidades de fé para que ajam como Corpo de Cristo e as regiões em que estão situadas para que reflitam o reino de Deus.

O Ciclo Transformacional pode ser representado conforme a ilustração a seguir:

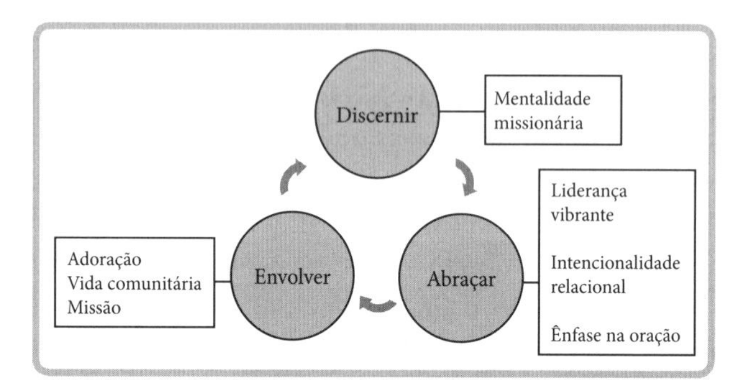

Ao longo deste livro, cada um dos elementos que constam dessa ilustração será visto em detalhes. Como já dissemos, não há um padrão matemático de sucesso para cada um deles. O que esperamos é que a Bíblia fundamente e os exemplos ilustrem como Deus está trabalhando na sua Igreja e por meio dela para proclamar Jesus e expandir o seu reino. Cada um dos sete elementos existe por conta própria como uma ideia, mas depende dos demais para ter efeito na igreja. Vamos conhecê-los brevemente antes de detalhá-los nos capítulos seguintes.

Discernir

O constante e ativo desejo de entender as comunidades onde estão inseridas é uma das principais marcas das congregações mais saudáveis que pesquisamos no Brasil. Mas elas não se contentam apenas com dados estatísticos e informações: vão além dos dados fornecidos pelo IBGE, ou por outras instituições de pesquisa, e procuram discernir espiritualmente os seus contextos.

Esse discernimento do contexto começa com a coleta de informações. Uma igreja precisa olhar ao redor e perceber quem vive ali. Ela tem de perceber-se chamada para buscar aqueles que estão nos arredores e cuidar deles. Para isso, precisa fazer perguntas reais sobre a comunidade em que se encontra. Quem vive ali? Quais são seus sonhos e expectativas? Quais são suas feridas? Onde as pessoas passam o seu tempo? Como se relacionam entre si?

Uma vez que as igrejas transformacionais têm conhecimento das comunidades em que estão plantadas, começam a pôr o discernimento em ação. Em outras palavras, usam informações para o propósito de fazer discípulos que se engajem em uma jornada no reino de Deus. Afinal, muitas igrejas conhecem fatos sobre suas comunidades, mas fazem bem pouco com o que sabem. E isso é muito triste.

Nesta categoria, *Discernir*, o elemento identificado nas igrejas transformacionais é o que chamamos de *mentalidade missionária*. Esse elemento singular sintetiza muito bem a perspectiva e o objetivo de uma igreja transformacional a respeito de quem vive ao redor dela. Igrejas com essa mentalidade entendem muito bem que não estão ali por acaso, mas foram enviadas por Deus para aquela cidade ou bairro, com um propósito bastante claro. Em outros termos, a mentalidade missionária significa que a igreja transformacional entende a sua comunidade circundante e se prepara para ministrar de maneira contextualmente apropriada a fim de alcançar as pessoas com o evangelho. A mentalidade missionária também auxilia a igreja na construção da sua visão global, isto é, uma igreja local que opera como um corpo de missionários em sua comunidade local enxerga mais facilmente a necessidade de investir na missão global da Igreja de Cristo.

Como veremos no próximo capítulo, a sensibilidade cultural, traço marcante da mentalidade missionária, aliada à fidelidade bíblica, faz das igrejas locais agências poderosas de transformação a serviço da missão de Deus.

Abraçar

Igrejas que buscam desenvolver ministérios transformacionais não apenas discernem o contexto com uma mentalidade missionária. Elas abraçam valores corretos que dão fundamentação às suas práticas. O primeiro desses valores é o elemento que chamamos de *liderança vibrante.*

Liderança é uma necessidade em qualquer ambiente em que um deslocamento proveitoso se faça necessário. Nós percebemos que, nas igrejas transformacionais, a liderança posicional é de pouca importância. Liderança posicional é quando alguém espera ser ouvido ou seguido simplesmente em razão do seu título ou posição dentro de uma organização. Contrariamente, nas igrejas transformacionais os líderes demonstram paixão por Deus e por seu reino e são seguidos muito mais pelo exemplo que dão do que pelas ordens que passam. Além disso, são líderes que buscam meios de engajar todos os membros da igreja em oportunidades de liderança efetiva no cumprimento da missão de Deus.

O segundo valor que as igrejas transformacionais abraçam é a *intencionalidade relacional.* A igreja foi planejada por Deus como uma coleção de pessoas que participam da vida umas das outras. Nós entendemos como um passo crítico no desenvolvimento de igrejas saudáveis e transformacionais a promoção de ações deliberadas no sentido de ajudar os membros a se conectarem uns com os outros. Tanto a prestação de contas como o encorajamento mútuo ocorrem à medida que a igreja cria oportunidades nas quais relacionamentos de longa duração são tidos em alta conta. E ela faz isso de maneira intencional.

O terceiro valor abraçado nas igrejas transformacionais é a *ênfase na oração.* Quando começamos este estudo, sabíamos que qualquer verdadeiro trabalho de transformação espiritual só pode ser feito pelo próprio Deus. As igrejas que encontramos também acreditam nisso. E, mais que acreditar, elas demonstram uma disposição natural de se comunicar com Deus a respeito da esperança que têm de ver a transformação acontecendo. Nós raramente encontramos uma igreja que negue a necessidade de se engajar em oração. Entretanto, igrejas transformacionais revelaram uma ênfase na oração e uma dependência dela, em vez de apenas terem um programa ou uma agenda de oração. A necessidade que essas igrejas têm de se conectar a Deus em oração era evidente e motivada pela missão, e não por necessidades egoístas.

Envolver

A terceira categoria de elementos do Ciclo Transformacional relaciona-se ao envolvimento com práticas intencionais. Todas as igrejas estão localizadas em certos lugares, valorizam determinados princípios e realizam atividades específicas. Mas atividades por atividades são de pouco valor. No nosso estudo, vimos que as igrejas mais saudáveis praticam as ações corretas que levam à transformação e à formação de discípulos.

A primeira prática com a qual elas se envolvem é a *adoração*. Todo mundo adora alguma coisa. Para alguns é o seu próprio eu, e para outros é um objeto qualquer deste mundo. Conduzir pessoas a se conectarem com o Deus vivo, que deve ser o único a ser adorado, é o foco da atividade transformacional. A adoração testemunhada nas igrejas transformacionais no Brasil é marcada pela expectativa e pela expressividade emocional. Quando as pessoas chegam para as celebrações, elas esperam que algo maravilhoso aconteça. Há uma confiança de que Deus vai produzir transformação. Além disso, as igrejas transformacionais no Brasil valorizam a reverente liberdade de expressão das emoções dos seus membros e frequentadores.

A segunda prática presente nas igrejas transformacionais é a *vida comunitária*. Com isso nos referimos à experiência de juntar vida com vida, pois, como essas igrejas levam muito a sério a intencionalidade relacional, criam sistemas para colocar pessoas em contato umas com as outras a fim de que tenham experiências significativas de vida comunitária, por meio de grupos pequenos, estudos bíblicos nos lares, salas de escola bíblica ou mesmo grupos de serviço ministerial.

Nessas igrejas, tanto cristãos como visitantes e interessados são incentivados a se engajar ativamente em oportunidades de vida comunitária uns com os outros. E, mesmo convictas de que apenas Deus pode produzir transformação no coração de uma pessoa, as igrejas transformacionais têm aprendido que isso geralmente ocorre na ambiência de um grupo menor de amigos reunidos em nome de Jesus. Como veremos, em razão de o Brasil ter uma das culturas mais coletivistas do mundo, ao contrário dos Estados Unidos, a intencionalidade relacional evidenciada na vida comunitária tem sido facilitada.

A terceira prática com a qual as igrejas transformacionais se engajam é a *missão*. O que dá sentido ao que pensam, às suas motivações e ao que fazem é a missão de Deus de fazer discípulos de Jesus. Elas estão diligentemente seguindo a Deus para verem pessoas transformadas que, por sua vez, transformarão o mundo. O evangelismo não é ensinado como um programa periódico, mas como um estilo natural de vida. Assim, juntando os elementos da mentalidade missionária com o da intencionalidade relacional, as igrejas transformacionais conduzem seus membros a entender o discipulado como algo normal e necessário na vida de todo cristão. Para essas igrejas, a missão é sempre a prioridade.

Conectando-se ao Ciclo Transformacional

É importante ressaltar que não há, no Ciclo Transformacional, um ponto de partida específico em que todas as igrejas devam entrar para se tornarem transformacionais. Todas as três categorias, bem como os sete elementos que as compõem, são partes necessárias de um todo.

A sua igreja pode começar em qualquer lugar do ciclo. Talvez naquilo que represente os pontos fortes da sua comunidade. Outras preferem focar naqueles que são seus pontos fracos. Se Deus, por exemplo, convencê-lo de que sua igreja é fraca no que se refere à mentalidade missionária, então comece aprendendo sobre discernimento e sensibilidade cultural, aplicando-os ao seu contexto local.

Desse modo, o Ciclo Transformacional não apresenta um ponto de partida específico, o que é uma realidade confortante, pois Deus pode usar qualquer um dos sete elementos para alavancar a sua igreja em direção a uma nova fase ministerial com características transformacionais.

Para que seja bem-sucedida ao entrar no Ciclo Transformacional, a igreja precisa se preparar a fim de fomentar o fluir conjunto de todos os sete elementos, pois, se tudo o que os membros da igreja desejam fazer é orar, quem fará a obra do evangelismo? Se um grupo deseja apenas participar dos cultos de adoração, como a vida comunitária será construída por meio dos grupos menores? Todos devemos desafiar os membros a participar em todas as áreas em que Deus está promovendo transformação em nossa vida por meio do evangelho.

Desse modo, os líderes das igrejas que desejam ser transformacionais precisam ensinar sobre os elementos do Ciclo Transformacional como ideias e práticas distintas, mas não independentes umas das outras. Cristãos que estão florescendo vão naturalmente tirar proveito da convergência dos múltiplos elementos transformacionais em sua vida. Igrejas encontrarão crescimento mais natural quando encorajarem a prática dos elementos como um só. Comunidades serão mais prontamente transformadas para refletir a presença do reino de Deus quando testemunharem a presença de cristãos que são discípulos integralmente formados em todas essas dimensões.

A partir do próximo capítulo, faremos uma análise de cada um desses elementos e de suas peculiaridades dentro do contexto brasileiro.

3

Mentalidade missionária

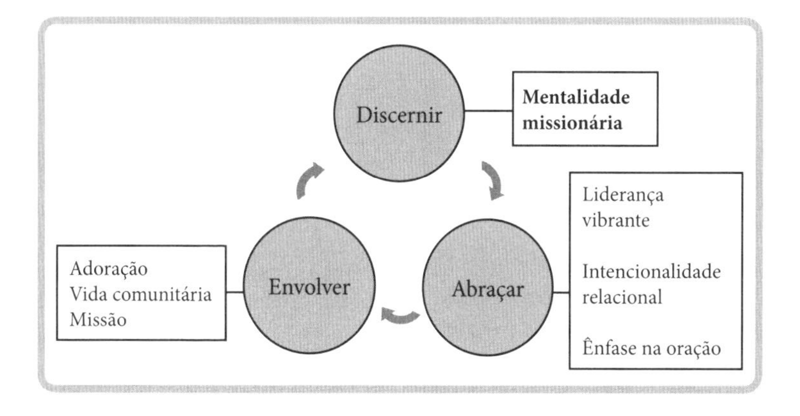

A Segunda Igreja Batista em Beira Mar, localizada em Duque de Caxias (RJ), é liderada pelo pastor Márcio Mesquita. Ele conta que, quando lá chegou, a igreja estava sem pastor e, por isso, enfrentava muitos desafios. Um deles era a tendência de ser muito fechada dentro de si mesma e isolada da cidade: "Se você ler sobre tipos de igrejas", comentou o pastor, "observará que existem as que esperam as pessoas virem e aquelas que saem e vão em busca das pessoas. A nossa igreja costumava ser uma igreja que simplesmente esperava as pessoas aparecerem, e isso era muito complicado. Tínhamos apenas 28 membros e agora somos mais de 200 em nossas celebrações dominicais". O foco para si mesma, esquecendo o contexto em que estava inserida, tornava aquela igreja "invisível", como se Deus não a tivesse enviado para aquele lugar.

Falando sobre o aparente desconhecimento que as pessoas do bairro tinham sobre a igreja, pastor Márcio comentou que, quando os membros passaram a desenvolver uma mentalidade missionária e se fizeram mais ativos e presentes na comunidade, muitos começaram a chegar e a perguntar: "Vocês iniciaram uma nova igreja aqui?", embora a congregação já estivesse ali por quase vinte anos. "Não é para me orgulhar, mas é esta visão que temos ensinado, a de que não precisamos perder as nossas raízes, as nossas tradições, para estar inseridos em nosso contexto. Podemos ter novos odres sem perder a essência. Por isso, a igreja tornou-se mais conhecida e mais presente na comunidade desde que começamos a trabalhar aqui", explica pastor Márcio.

É exatamente isto que as igrejas transformacionais fazem: elas se envolvem na missão de Deus em suas cercanias, comprometidas com o seu contexto imediato. Uma mudança de mentalidade pode ser o começo de grandes transformações.

Entender o contexto — ou ter uma mentalidade missionária — é um componente fundamental das igrejas transformacionais. Elas vivem a essência do ato de fazer discípulos em suas atividades, por meio de adoração, comunhão e missão,

O que dizem os líderes transformacionais

"Assim como Deus enviou seu Filho ao mundo, somos, em nosso cerne, um povo enviado ou simplesmente missionário. [...] Esse 'envio' é incorporado e vivido no impulso missional. Em essência, isso é claramente um movimento exterior de uma comunidade ou de um indivíduo para outro. É o impulso externo baseado na missão de Deus que impele a igreja a alcançar o mundo perdido. Portanto, um impulso genuinamente missional é um envio, em vez de uma atração."[1]

ALAN HIRSCH,
missiólogo e escritor

mas fazem isso no contexto de sua cultura. A adoração acontece com uma compreensão do contexto. A missão voltada à comunidade em torno da igreja acontece em meio à compreensão do contexto. Seus valores são expressos à luz do contexto. Seus líderes demonstram amor pela cultura. O envolvimento na comunidade é feito com intenção relacional e as igrejas oram por sua comunidade. Em suma, as igrejas transformacionais conhecem, entendem e são profundamente apaixonadas por suas cidades, suas comunidades e pelas pessoas.

Deus colocou você, que é líder eclesiástico, em um lugar específico. O que ele quer que você faça? Essa é uma pergunta errada ou, talvez, prematura. Pode ser verdade que Deus preparou, moldou e instruiu você a plantar uma nova igreja ou fazer com que uma igreja já existente torne-se saudável e cresça. O erro comum, porém, é que o *como fazer* pode estar completamente desenvolvido em sua cabeça antes mesmo de você saber *para quem* e *onde* fazer.

A série de televisão *Lost* alcançou sucesso de público e crítica. Desde 2004, milhões de pessoas já viram seus episódios. O enredo é uma mistura de *A ilha dos birutas*, *Survivor* e *Arquivo X*: um avião cai em uma ilha do Pacífico Sul, deixando os passageiros isolados. A jornada lenta e mística incluía *flashbacks* da vida dos passageiros, assim como acontecimentos misteriosos na ilha. Aquelas pessoas descobriam uma nova realidade dia após dia. Não importava o que estavam pensando: sua nova realidade sabotava tudo e seus planos anteriores não importavam mais. Os desafios da ilha eram dramáticos e ameaçavam a vida de todos. A curva de aprendizagem era longa. A flexibilidade e a adaptabilidade eram críticas para o sucesso. Uma verdade que a dramática série apresentava em relação à vida é que todo mundo tem uma história, que determina cada movimento. Assim como acontece na série, na vida real todas as pessoas têm uma história.

Precisamos conhecer as histórias no lugar onde Deus nos plantou. Os novos episódios acontecem constantemente. Contudo, assim como aconteceu com a série *Lost*, para entender um novo episódio, é preciso saber o que aconteceu no anterior. Na verdade, você conseguirá entender melhor o episódio atual se souber onde tudo começou. É indispensável conhecer a história das pessoas a quem Deus enviou você a fim de ser eficiente nas áreas relacionadas a celebração, pequenos grupos, missão, desenvolvimento de liderança, oração e relacionamentos.

Se você for apaixonado pelas pessoas e pela comunidade para as quais Deus enviou você e se as amar como ele as ama, então se sentirá motivado a conhecer e a entender a história delas. *Infelizmente, os líderes cristãos costumam estar mais apaixonados pela maneira como fazem igreja do que pelas pessoas de sua comunidade!* Muitos são inflexíveis e não se adaptam a novos contextos. Outros confundem princípios eternos com metodologias ultrapassadas, tradições inspiradoras com tradicionalismos alienantes. Muitos líderes cristãos são exímios contadores de histórias bíblicas, mas poucos amam suficientemente as pessoas para ouvir e entender as suas histórias.

Os que têm mente e coração missionários veem as pessoas como singulares e valiosas. As multidões eram importantes para Jesus por causa das pessoas que as compunham. As multidões não são troféus a serem ganhos. Elas também não são "projetos pessoais" a serem finalizados. Influenciar massas de indivíduos não deve servir para a afirmação pessoal do líder ou para mostrar seu valor próprio. As multidões são importantes por causa do incrível valor de cada pessoa. O salmista fornece uma linda ideia sobre o valor dos indivíduos para os quais Deus chamou você como instrumento de amor: "Eu te agradeço por me teres feito de modo tão extraordinário; tuas obras são maravilhosas, e disso eu sei muito bem" (Sl 139.14).

Se as pessoas são valiosas, então vale a pena conhecê-las. Ouvir e entender suas histórias será fundamental para apresentar-lhes Jesus Cristo. Ter uma mentalidade missionária é agir como Jesus, entrando na vida e na história das pessoas, porque elas são importantes para Deus.

O coração missionário da igreja transformacional

À medida que pesquisávamos as igrejas transformacionais no Brasil, ficou óbvio que elas tinham um conhecimento apurado de sua comunidade. Ao entrevistar pessoas dessas igrejas, pedimos uma resposta à seguinte declaração: "As necessidades do nosso bairro e/ou nossa cidade determinam nossa estratégia de missões locais". A maioria (90%) concordou plenamente ou moderadamente com essa declaração. Tomar essa afirmação de maneira isolada não é suficiente para concluir que uma igreja está sendo conduzida por uma mentalidade missionária. Mas, ao aprofundarmos a questão, descobrimos que as igrejas cujo coração é transformacional consideram seu contexto vital para todo o processo de decisão.

As respostas às questões a seguir ilustram quanto as igrejas transformacionais realmente estão preocupadas com o contexto onde estão inseridas, demonstrando, assim, uma forte mentalidade missionária:

- "A nossa igreja se preocupa profundamente com as pessoas de nossa cidade" (95% concordaram plena ou moderadamente).
- "Os líderes de nossa igreja pensam como missionários na maneira como eles fazem a leitura do contexto cultural onde estamos inseridos" (86% concordaram plena ou moderadamente).
- "Os membros de nossa igreja são frequentemente lembrados sobre as oportunidades especiais que temos para impactar aqueles que vivem em nossa cidade" (92% concordaram plena ou moderadamente).

Além disso, um dado muito importante é que a própria comunidade parece ter uma percepção positiva das igrejas que mostraram esse tipo de compromisso contextual. Quando perguntamos a essas igrejas como a comunidade as via, elas responderam da seguinte forma:

- "As pessoas da nossa cidade são beneficiadas de maneira concreta e tangível porque existimos como igreja" (92% concordaram plena ou moderadamente).
- "Dirigentes de instituições locais, como escolas, ONGs e órgãos governamentais, têm expressado gratidão em razão de a nossa igreja existir e fazer o que faz" (89% concordaram plena ou moderadamente).

As igrejas transformacionais são caracterizadas por uma mentalidade missionária. Elas conhecem seu contexto, a comunidade em que estão inseridas e as histórias das pessoas dessa comunidade. Por essa razão, são capazes de apresentar claramente as afirmações e o poder de Jesus Cristo à comunidade, por meio de palavras e ações.

Chamado missionário personalizado

Muitas Bíblias trazem mapas em suas páginas finais. Em geral, um ou mais deles mostram as viagens missionárias do apóstolo Paulo. É interessante notar que a obra de Paulo não era simplesmente viajar de um lugar para outro, mas de pessoa a pessoa, de coração a coração, de vida a vida.

Sendo assim, como Paulo decidia aonde ir e como fazer a obra missionária? A decisão do apóstolo sobre o lugar aonde ir não era aleatória ou acidental. Ele poderia ter ido a qualquer lugar que desejasse? Pessoas são pessoas, certo? Deus quer alcançar os perdidos, certo? Porém, não havia nada de aleatório sobre os locais que Paulo, o missionário, selecionava para pregar Cristo.

Toda igreja está cheia de pessoas que são chamadas ao ministério (cf. 1Pe 4.10) e enviadas em missão (cf. Jo 20.21). As igrejas transformacionais capacitam e lançam pessoas para viver em missão, com uma mentalidade missionária, onde elas estão neste exato momento — no tempo certo, seguindo a atividade de Deus e obedecendo ao seu direcionamento.

O texto bíblico nos apresenta um retrato de Paulo em ação, escolhendo (ou, na verdade, sendo enviado) a um lugar específico:

> Em seguida, Paulo e Silas viajaram pela região da Frígia e da Galácia, pois o Espírito Santo os impediu de pregar a palavra na província da Ásia. Então, chegando à fronteira da Mísia, tentaram ir para o norte, em direção à Bitínia, mas o Espírito de Jesus não permitiu. Assim, seguiram viagem pela Mísia até o porto de Trôade. Naquela noite, Paulo teve uma visão, na qual um homem da Macedônia em pé lhe suplicava: "Venha para a Macedônia e ajude-nos!". Então decidimos partir de imediato para a Macedônia, concluindo que Deus nos havia chamado para anunciar ali as boas-novas.
>
> Atos 16.6-10

Paulo era um homem com mentalidade missionária, enviado por um Deus missionário. Três fatores importantes determinavam os lugares aonde Paulo ia e ministrava: o tempo, a atividade de Deus e o comissionamento de Deus.

O tempo

A escolha de Paulo para ir à Macedônia incluía outra opção que raramente consideramos: não ir à Frígia, local aonde o Espírito Santo o impedira de ir.

Paulo tinha uma quantidade limitada de horas, dias, meses e anos. Ele precisava investir nos lugares certos, pois não poderia ir a todo lugar ao mesmo tempo. O comissionamento do chamado de Deus é crítico para os líderes de igrejas transformacionais, as quais entendem que devem aproveitar o tempo de que dispõem na comunidade onde o Senhor as colocou e lhes deu.

A atividade de Deus

Deus já está trabalhando de maneira antecipada no lugar para o qual ele o chamou. A visão que Paulo teve de um homem receptivo da Macedônia foi um detalhe significativo. O Senhor estava agindo, preparando pessoas para a plantação da igreja em Filipos, que ficava na região da Macedônia. Ele já atuava no coração de uma rica empresária chamada Lídia e na vida de um carcereiro, preparando-o para receber vida nova. Dizer "não" à Macedônia teria sido perder a incrível obra que Deus desejava fazer na vida daquelas pessoas, que estavam famintas pela verdade!

Deus levou Paulo a dizer "sim" aos lugares certos. A região onde você pastoreia ou planta uma igreja é importante para Deus porque as pessoas dali são importantes para ele. Seu primeiro chamado é para quem está no lugar onde o Senhor está agindo e chamando você a juntar-se a ele.

O comissionamento de Deus

Deus chama todo cristão a estar em missão e a ser um embaixador dele. O *o quê* está estabelecido. As variáveis são: *Onde? Quando? Como?* A atribuição dada pelo Senhor pode ser difícil e envolve riscos. A disposição de Paulo de responder ao chamado para não ir à Frígia e ir à Macedônia resultou em um tempo na prisão. Paulo nunca confundiu o comissionamento para a Macedônia com uma promessa de prosperidade ou sucesso.

Havia um lugar e um momento determinados por Deus para que Paulo fosse e fizesse algo. Por quê? Porque na Macedônia havia pessoas específicas nas quais o Senhor, em sua soberania, estava trabalhando e para as quais ele tinha um grande plano. Paulo é um ótimo exemplo de paixão pela obra de Deus. Ele falou sobre os filipenses nos seguintes termos:

> É apropriado que eu me sinta assim a respeito de vocês, pois os tenho em meu coração. Vocês têm participado comigo da graça, tanto em minha prisão como na defesa e confirmação das boas-novas. Deus sabe do meu amor por vocês e da saudade que tenho de todos, com a mesma compaixão de Cristo Jesus.
>
> Filipenses 1.7-8

A mentalidade missionária exige uma paixão pela obra de Deus porque ela se realiza em meio a pessoas necessitadas.

Uma mentalidade missionária está muito mais focada em conhecer e entender as pessoas em certa área geográfica do que em replicar metodologias que foram bem-sucedidas em outros contextos.

Evangelismo, plantação de igrejas, pregação e discipulado são realidades nas igrejas transformacionais, mas essas congregações sabem ajustar seu trabalho à comunidade em que estão inseridas.

Os líderes dessas igrejas não estão apenas conscientes de sua comunidade, mas contam, na congregação, com um número significativamente maior de membros que vivem a mesma realidade. Pedimos a eles que informassem seu nível de concordância com certas declarações relacionadas a essa questão, e suas respostas foram bastante positivas:

- "Nossa liderança deseja servir a cidade, e não apenas à nossa igreja" (96% concordaram forte ou moderadamente).
- "As atividades da nossa igreja são planejadas e projetadas para alcançar o tipo de pessoa que vive em nossa cidade, sendo sensível aos aspectos culturais" (95% concordaram forte ou moderadamente).
- "Nossa igreja entende que existe para o bem daqueles que vivem em nossa cidade, e não apenas para servir os seus próprios membros" (94% concordaram forte ou moderadamente).

É importante ter em mente que todos esses números se referem a membros de igrejas transformacionais, confirmando, assim, as respostas de seus líderes. Isso se deve ao fato de as igrejas transformacionais não verem a comunidade onde estão plantadas como um lugar do qual se esconder. Em vez disso, a mentalidade missionária e o amor pela comunidade que as cerca motivam todas as suas decisões e atividades.

A mentalidade missionária das igrejas transformacionais também é vista em um forte senso de chamado para um grupo específico de pessoas, como mostram os dados a seguir:

- "Nosso(s) pastor(es) costuma(m) se referir a aspectos da cidade ou da comunidade em suas mensagens" (92% concordaram forte ou concordaram moderadamente).

- "Nossa igreja acredita que, à medida que o contexto cultural ao nosso redor muda, novas oportunidades de impactar com o evangelho aqueles que vivem na nossa cidade devem ser consideradas" (93% concordaram forte ou moderadamente).

Uma igreja transformacional se recusa a simplesmente "ficar sentada". Deseja sempre olhar para o evangelho, aprender sobre ele e vivê-lo. Essa inquietação santa costuma ser parte do processo de Deus que a leva a mais pessoas e a mais lugares para ministrar. A fim de ajudar nesse processo, os líderes das igrejas transformacionais devem saber quem são, quem a congregação é neste momento e como conectar o Corpo de Cristo à comunidade como um todo.

É comum que plantadores de igrejas passem por uma fase inicial de inquietação, que Deus usa para lhes falar sobre seu novo comissionamento. Essa etapa é seguida por outra de busca por aqueles que foram bem-sucedidos em fazer aquilo que o plantador sente que foi chamado a fazer. É a fase da pesquisa, que não se restringe a conversas pessoais. Leitura, participação em conferências e pesquisa na Internet podem começar a pintar-lhes um quadro do que a plantação de uma igreja pode ser.

Temos visto que muitos plantadores de igrejas têm isso em mente; contudo, não o põem em prática em sua comunidade, o que é um grande risco. Mas os líderes e os membros de igrejas transformacionais não permitem que isso aconteça; antes, decidem plantar ou servir na comunidade. Eles ativam ministérios que agem em favor das pessoas às quais Deus os chamou para servir e para doar a própria vida.

Qual fase está faltando quando uma igreja é plantada na mente, e não na comunidade? O que está faltando quando uma igreja decide como o ministério será feito sem levar em conta o campo missionário em torno do lugar onde ela está? A fase ausente é a da oração e da descoberta, do discernimento, da sabedoria prática.

Lembre-se: Deus chama alguém primeiro a um povo e, depois, a uma tarefa. Não podemos inverter essa ordem!

O problema da replicação de modelos

É realmente empolgante ouvir o que líderes bem-sucedidos têm a dizer sobre os seus ministérios e sobre suas igrejas. Entretanto, o problema começa a tomar corpo quando surge a obsessão de se encontrar um ministério dos sonhos ao qual copiar — se possível, integralmente. Nesse processo, pela falta de uma apurada mentalidade missionária, ignoram-se fatores contextuais críticos que levaram os líderes bem-sucedidos a fazer o que fazem. Desse modo, na tentativa de emular um herói ministerial, líderes irresponsáveis e tolos transportam, sem o devido discernimento, os métodos daquela pessoa para a própria comunidade e acabam produzindo frustração para si e para os que lideram.

Transportar métodos de uma realidade para outra sem discernimento contextual desvaloriza as pessoas da comunidade. O que um líder eclesiástico faz em Chicago não necessariamente deve ser repetido em Fortaleza ou João Pessoa pelo simples fato de o líder da igreja brasileira gostar do líder americano e do método por este usado. Os que carecem de mentalidade missionária são culpados de mimetizar a maneira como os líderes bem-sucedidos funcionam. São capazes de pregar sermões nos quais repetem, palavra por palavra, o que foi dito pelo líder que tomam como exemplo. Já vimos casos de pastores que até mesmo passam a se vestir da mesma maneira que seu modelo, na sincera esperança de que isso ajudará a produzir os mesmos resultados.

Aprender com base na maneira como as pessoas bem-sucedidas encaram a obra de Deus pode ser de grande valor. Praticar certos métodos também pode funcionar. Mas os que querem ser sombras de outros líderes perdem a aventura de conhecer melhor as pessoas que vivem em seu campo missionário e de encontrar maneiras pelas quais Deus pode abrir o coração delas para o evangelho.

Os membros das congregações identificadas por nossa pesquisa como igrejas transformacionais concordaram fortemente que seus líderes eclesiásticos entendem o contexto em torno da igreja. A taxa dos membros que concordaram forte ou moderadamente com essa afirmação chegou a 96% dos entrevistados. A maioria também está de acordo que tudo o que se faz na congregação é sensível à linguagem e à cultura das pessoas que se tenta alcançar ali (95%).

Algumas igrejas locais se destacaram em nossa pesquisa por apresentar o que consideramos ser as melhores práticas para o ministério contextual das igrejas transformacionais no Brasil. Vejamos alguns exemplos.

Igreja Batista Central em Fortaleza (CE)

O pastor Armando Bispo, da Igreja Batista Central em Fortaleza (CE), demonstrou grande convicção quanto à necessidade de contextualização do ministério da sua igreja, comunidade vibrante, com mais de três mil membros, especialmente no que se refere à hinologia. Ele afirmou:

> Nossa hinologia tem aspectos muito interessantes. Primeiro é a regionalização dos ritmos, isto é, a maneira como a música é apresentada. Em outras palavras, nós temos, por exemplo, o forró, que é um ritmo tipicamente nordestino. Nós também temos cânticos que são tipicamente brasileiros; por isso, às vezes, o samba aparece de maneira mais leve ou mais forte. Nós investimos em músicas que expressam a brasilidade, que falam ao coração brasileiro, expondo melhor as expressões daqueles que adoram e estimulando aqueles que ainda não conhecem Jesus a se sentirem mais à vontade em nossos encontros durante os momentos de adoração e louvor.

Igreja de Cristo em Caraúbas (RN)

O relato do pastor Givanildo Leite, líder dessa igreja de 160 membros, localizada na pequena cidade nordestina de vinte mil habitantes, é digno de ser compartilhado. Suas palavras mostram quanto a mudança em direção a uma mentalidade missionária traz frutos de transformação para o reino de Deus. Falando das mudanças que ocorreram nos últimos anos, o pastor abriu o coração:

> Eu vejo grandes melhoras, porque costumávamos ser uma igreja dentro das paredes, trancada no templo. Costumávamos ser, como alguns costumam dizer, um clube social restrito. Agora, nós vamos para as ruas e para outros lugares da cidade. Somos conhecidos como uma igreja receptiva, e isso é muito importante. Eu sei que ainda precisamos melhorar, especialmente quando vejo outras igrejas fazendo trabalhos que eu admiro, trabalhos melhores que os nossos, mais impactantes.

A humildade do pastor Givanildo, aliada ao seu desejo de ver a pequena Caraúbas impactada pelo evangelho da graça, tem funcionado como um elemento catalizador para outras igrejas da cidade:

> Em nossa cidade, igrejas que costumavam ser muitos restritas aos seus próprios espaços de culto estão agora nas ruas. Por causa do trabalho que temos feito, elas têm se sentido motivadas a fazer o mesmo. Eu louvo a Deus, pois a nossa cidade tem sido muito bem evangelizada.

Igreja Luterana da Renovação em Cordeirópolis (SP)

O pastor João Carlos, líder da Igreja Luterana da Renovação, relata que desfruta de muito respeito em Cordeirópolis por sempre ter se preocupado com as pessoas e com os problemas do município:

> Quando eu cheguei aqui, a primeira coisa que fiz foi ir até a Prefeitura e agendar uma audiência com o prefeito, apenas para me apresentar a ele, orar pela vida dele e perguntar como a nossa igreja poderia ser útil à cidade. Ele achou a minha atitude muito bonita e, agora, me convida para todos os eventos importantes da cidade. Fui convidado, inclusive, para participar do Conselho da Criança e do Adolescente da cidade.

Observa-se que o que guiou as ações do pastor João Carlos foi a sua mentalidade missionária, o claro senso de ter sido enviado por Deus para ministrar às pessoas daquele município.

Mudar o mundo, e não o "meu mundo"

As igrejas transformacionais demonstram paixão por mudar o mundo. Algo excepcional com relação a essas congregações é que elas estão ativamente envolvidas não só com oração e contribuição financeira, mas com a ida a lugares específicos para vivenciar sua paixão pelas pessoas, o que revela o interesse pela ação, e não apenas pela discussão.

É comum nos animarmos diante da visão tocante de mudar o mundo. Contudo, o custo e as dimensões da tarefa tornam a ação mundial um projeto muito complicado. Qual é a gratificação instantânea de ir até a Índia, por exemplo, país em que apenas 2,3% da população é cristã? Se a visão é mudar o mundo por meio dos ensinamentos de Jesus, a Índia precisa estar incluída. Entretanto, há pouco tempo, um pastor que se dizia "missional" afirmou que sua igreja precisava reduzir o apoio a missões globais para ajudar as pessoas a serem missionárias na própria comunidade.

O conceito de um Deus com o mundo inteiro em seu coração vem desde antes da criação do Universo. A imagem de um Deus poderoso que ama toda língua, tribo e nação é tocante. A realidade é muito maior do que a imagem. O coração de Deus em favor do mundo se torna um mandamento para que seus seguidores amem todos os povos e façam discípulos de todos os grupos étnicos, e não apenas de suas comunidades (cf. Mt 28.19-20). O amor de Deus pelo mundo é mais do que uma oferta especial, uma viagem missionária ou um videoclipe. Quando decidimos abraçar a missão divina, abraçamos sete bilhões de pessoas. As igrejas transformacionais aprenderam a atender à necessidade de trabalhar tanto local quanto globalmente.

A mentalidade missionária de verdade deve ter foco global. Acreditamos que as igrejas que querem ser transformacionais e missionais precisam ser cuidadosas para não perder esse foco. À medida que a conversa missional continua e se aprofunda, parece que alguns vêm perdendo isso. O que aconteceu e o que gerou a cegueira que temos em relação ao mundo perdido ao redor? Diante do que ouvimos de igrejas e líderes, acreditamos que há várias razões, as quais precisam ser analisadas. Por que algumas igrejas se concentram em transformação, mas se esquecem do envolvimento em missões globais e evangelismo transcultural?

Primeira razão: algumas pessoas descobriram apenas as dimensões pessoais da missão

Isso não é o mesmo que dizer que elas transformaram sua missão em algo relativo apenas à vida particular. Na verdade, o encorajamento para que cada pessoa esteja em missão (que seja "missional") tem levado à tendência a uma obrigação pessoal com ambientes pessoais, e não a uma obrigação global de fazer avançar o reino de Deus entre todas as nações.

O termo "missional" tem experimentado uma fusão não intencional com a falsa premissa de um cristianismo privatizado. Ser missional tornou-se, em alguns círculos, sinônimo de ter projetos pessoais levados a cabo em esferas pessoais. O serviço resultante de projetos pessoais em uma esfera pessoal não é necessariamente ruim, mas, quando o impulso missional não é expandido para incluir a missão global de Deus, o resultado são cristãos movidos a ministrar apenas em sua própria "Jerusalém", sem nenhum pensamento voltado para sua "Judeia", "Samaria" ou os lugares mais distantes da terra: "Vocês receberão poder quando o Espírito Santo descer sobre vocês, e serão minhas testemunhas em toda parte: em Jerusalém, em toda a Judeia, em Samaria e nos lugares mais distantes da terra" (At 1.8).

Ver a missão de Deus como uma iniciativa individualista pode reduzi-la a fronteiras geográficas. As pessoas pensam em Atos 1.8 como uma progressão geográfica, em vez de como uma ilustração histórica da missão e do coração de Deus. Esse texto foi uma mensagem profética, em tempo real, que anteviu a progressão do evangelho. Jerusalém não era a "Jerusalém dos ouvintes originais de Atos 1.8" em um nível mais elevado do que o fato de que você tem uma "Jerusalém". Em outras palavras, Jerusalém não era uma representação de nosso domínio pessoal. Jerusalém é o lugar de um evento espiritual e histórico único: o Pentecostes.

A melhor metáfora moderna para a sua "Jerusalém" é o lugar onde você recebe o derramamento do poder sobrenatural de Deus por meio de seu Espírito Santo (a salvação). Ou sua "Jerusalém" pode ser o lugar de um encontro com o Senhor no qual ele expande a missão da sua vida. A implicação de Atos 1.8 para missões é a responsabilidade "de todo lugar para todo lugar", atribuída a todo cristão que segue a Grande Comissão. Missionários filipinos nos Estados Unidos estão vivendo Atos 1.8. Missionários canadenses na Irlanda estão vivendo Atos 1.8. Missionários africanos na Romênia estão vivendo Atos 1.8. E, naturalmente, missionários brasileiros em qualquer lugar estão vivendo Atos 1.8.

Uma missão privatizada também leva pessoas a trabalhar quase exclusivamente dentro de seu próprio grupo de relacionamento. O evangelho foi enviado a uma igreja multiétnica e multicultural. A verdade é que não havia americanos nem brasileiros no Pentecostes! Recebemos o evangelho por via transcultural. A palavra "nações" não é uma designação política nas Escrituras, mas é usada para descrever grupos de pessoas, particularmente aqueles aos quais as boas-novas de Cristo ainda não chegaram. Quer você goste quer não, seu desejo de alcançar os franceses deve ser tão grande quanto seu desejo de alcançar as tribos indígenas de seu país. É fácil nos afastarmos dos grupos difíceis e nos aproximarmos dos que nos sejam mais confortáveis. Assim, nossos grupos-alvos se parecerão menos com Deus (multiétnico; multicultural) e mais conosco (tribal, preconceituoso).

Como o ato de fazer discípulos de forma transcultural aconteceu no Pentecostes? Por meio da intervenção divina. O poder sobrenatural de Deus nos torna testemunhas eficientes dele para povos do mundo. Os cristãos globais colocam esperança em sua participação na missão mundial do Senhor. Deus recebe menos glória quando todo cristão fala, pensa, se veste, come e vive da mesma maneira. Isso se parece mais com uma seita disfuncional do que com um movimento real que promove a glória de Deus. O Senhor recebe glória quando pessoas que se vestem, comem e vivem de maneira diferente se reúnem em torno da mesa para fazer uma refeição com um único coração. Depois de terem um encontro com Deus, pessoas que normalmente não ficariam juntas numa mesma sala saúdam-se umas às outras com um beijo santo e chamam-se de irmãs e irmãos.

Além de reduzir a missão de Deus à esfera pessoal, os crentes absortos em si mesmos aprenderam a dar uma justificativa: "Só servirei a Deus na área dos meus dons e das minhas paixões". Quando a tendência de "trabalhar dentro da minha aptidão" se torna uma desculpa para não trabalhar, então abandonamos a missão de Deus. Não devemos temer o convite de Jesus para tomar cada um a sua cruz e segui-lo, mesmo quando isso significa servir fora de nossa zona de conforto. Tudo na vida é oportunidade de "mortificar a carne" e proclamar o evangelho. As igrejas transformacionais encontram uma maneira de lançar as pessoas em projetos missionários locais e globais significativos, usando seus pontos fortes à medida que são capacitadas pelo Espírito Santo.

Segunda razão: muitos estão focados em ser boas-novas, em vez de contar as boas-novas de Cristo

Atribui-se a Francisco de Assis a seguinte afirmação: "Pregue o evangelho o tempo todo; quando necessário, use palavras". É interessante que Francisco nunca tenha, de fato, dito ou feito isso, até porque ele fazia parte de uma ordem religiosa que focava na pregação. Porém, essa afirmação é eficaz quando lançada, em igrejas de todo o país, em declarações de missão e em sermões sobre a visão, pois parece que muitos dão mais valor a servir os feridos do que a evangelizar os perdidos. Ou talvez essa afirmação torne apenas mais fácil fugir da proclamação do evangelho. Não queremos encorajar uma dicotomia, mas ressaltar que já existe uma. É irônico, porém, que, conforme os cristãos missionais procuraram dar corpo ao evangelho, alguns escolheram desprezar a verbalização das boas-novas de Cristo.

A mensagem de muitos inclui cada vez mais o ferido, mas menos frequentemente inclui o perdido. Há uma grande quantidade de projetos globais para órfãos, erradicação da aids e iniciativas semelhantes. Todas essas causas hoje contam com grupos que as defendem, e com razão, uma vez que são importantes. Contudo, seu vocabulário e arcabouço nem sempre deixam espaço para evangelizar as pessoas que tocam.

As igrejas missionais parecem falar mais sobre pessoas não atendidas social ou emocionalmente do que sobre pessoas não alcançadas pelo evangelho. À medida que nos empenhamos em promover a justiça, também devemos promover o evangelho, seja qual for a situação do indivíduo. As igrejas transformacionais encontraram um ponto de convergência tanto para a mensagem do evangelho quanto para os ministérios que devem acompanhar a proclamação da mensagem da cruz.

Voltar a visão para a cultura

As igrejas classificadas como transformacionais via de regra abraçam o trabalho missional sem perder a missão em sua perspectiva global e ampla. Isso ocorre por quatro razões.

Primeiro, elas reconhecem que se trata da missão de Deus e são apaixonadas por ela. Não somos os donos da missão e não nos cabe defini-la. Uma declaração de visão da igreja é algo bom, mas a missão de Deus é melhor e maior, o que torna primordial submeter-se a ela. As igrejas transformacionais perceberam que a igreja não é o centro do plano de Deus, embora seja central para o plano de Deus.

Segundo, as igrejas transformacionais entendem o chamado de Deus para servir ao pobre e ao ferido e não têm medo de um envolvimento forte com a justiça social. Isso soa pouco intuitivo se estivermos buscando remediar a perda de preocupação com o evangelismo articulado. Mas o envolvimento social implica envolvimento relacional, e este implica oportunidades de compartilhar o evangelho. Os sucessos e as experiências em nossa comunidade deveriam despertar corações e mentes para as necessidades globais. Nós precisamos simplesmente preservar a razão de ser da justiça social: a glória de Deus na adoração a Jesus, e não a utopia de transformar a terra no céu, própria dos sistemas gestados na filosofia política, quer de esquerda quer de direita.

Terceiro, as igrejas transformacionais compartilham a profunda preocupação com a missão de Deus às nações: que o nome dele seja louvado por lábios de homens e mulheres de todos os cantos do globo. Elas sentem a Grande Comissão em seus ossos. É preciso voltar o coração para aqueles que não estão perto, como Paulo fez: "Quero que saibam quantas lutas tenho enfrentado por causa de vocês e dos que estão em Laodiceia, e por muitos que não me conhecem pessoalmente" (Cl 2.1).

Quarto, as igrejas transformacionais são sérias quanto a se unir a Deus em sua missão e a obedecer aos seus mandamentos para discipular as nações. O produto final dos esforços missionais deve ser um cristão vibrante pronto a produzir mais cristãos vibrantes. Parece que muitas igrejas missionais não conseguem ser transformacionais porque estão deixando a Grande Comissão. Isso não faz o mínimo sentido. É um erro enorme, ainda que historicamente comum.

Se estamos verdadeiramente interessados em ser uma igreja transformacional, nossos esforços devem de fato refletir a missão de Deus. Estamos ligados ao Grande Mandamento como a mais plena expressão humana do amor de Deus. Mas o Grande Mandamento não existe isoladamente da Grande Comissão. Pelo contrário, a Grande Comissão ("faça discípulos de todas as nações") fornece o *o quê* da missão, enquanto o Grande Mandamento ("ame a Deus sobre todas as coisas e ao próximo como a si mesmo") fornece o *como*. A resposta à antiga pergunta "Quem é o meu próximo?" deve resultar no desejo de "fazer discípulos de todas as nações".

As igrejas transformacionais são verdadeiramente igrejas de Atos 1.8. Sua mentalidade as leva a ser missionárias em sua comunidade e, em última análise, no mundo inteiro. Naturalmente, essas igrejas não se tornam missionárias sem incorporar e abraçar valores-chave. Vamos examinar o primeiro desses valores no próximo capítulo, no qual aprenderemos que, sem lideranças vibrantes, não há movimento e não há transformação significativa.

4

Liderança vibrante

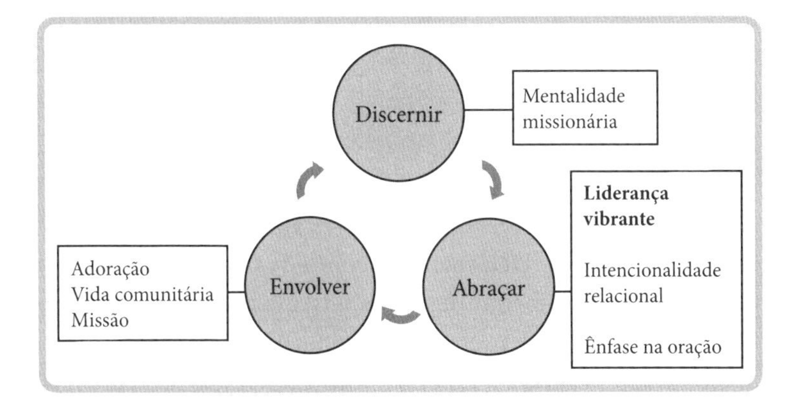

O pastor João Leal, da Igreja Presbiteriana de Cidade Nova, em Ananindeua (PA), relatou como um líder vibrante valoriza os dons e talentos dos seus liderados e busca apoiá-los para que possam realizar plenamente aquilo que Deus chamou cada membro do Corpo de Cristo a fazer. Ele afirma:

> Nós entendemos que liderança é vocação. Não oferecemos treinamento prévio aos que querem liderar. Nosso processo é invertido. Nós reconhecemos as pessoas que já estão naturalmente exercendo certo nível de liderança e as recomendamos para várias posições

> na igreja. Há quem esteja exercendo liderança, mas ainda não tenha uma posição oficial. Eles não foram formalmente reconhecidos como líderes na igreja, mas já são pessoas com um perfil a ser intencionalmente desenvolvido para que sejam, então, indicadas como líderes perante a comunidade.

No mesmo sentido, o pastor Arthur Geraldo, da Primeira Igreja Batista em Rio do Ouro, em Niterói (RJ), relatou como a liderança em sua igreja é identificada e treinada:

> Era costume haver eleição para todas as posições ministeriais na igreja, mas nós resolvemos mudar o processo. Aqueles que têm vocação comprovada pela demonstração dos dons pessoais vão e procuram as áreas de ministério; depois, são reconhecidos pela congregação. Estamos vivendo um tempo maravilhoso, no qual as pessoas que são chamadas por Deus buscam posições ministeriais não apenas para ocupar funções que estejam vagas na igreja, mas para cumprir a missão.

Fica claro que os líderes das igrejas transformacionais entendem o chamado de Deus como o ponto de partida para todo o processo de treinamento de novos líderes, contrariando o que tem sido a regra em muitas denominações, nas quais muitos que hoje são pastores foram enviados ao seminário por terem afirmado que tinham um chamado — embora, em várias situações, isso não tenha se comprovado na vida comunitária. Essa realidade gera problemas quando tais pessoas são ordenadas para ocupar funções importantes na congregação.

Os pastores das igrejas transformacionais desejam contribuir para a formação de outros líderes, mas entendem que a capacitação e o treinamento devem ser consequência de uma vocação confirmada pela igreja. Em outras palavras, uma das marcas de líderes vibrantes é que eles estão preocupados em desenvolver outros líderes com base no chamado das pessoas e dos seus dons ministeriais, e não apenas para ocupar espaços vazios.

À medida que realizamos a pesquisa, vimos continuamente a importância de uma liderança piedosa e vibrante. Quer seja um líder sênior forte, quer uma equipe de presbíteros ou um grupo de liderança, os líderes vibrantes estão sempre presentes nas igrejas transformacionais. Tais lideranças conduzem seus liderados na adoração e vivem em forte experiência comunitária e em missão. As igrejas transformacionais são dirigidas por líderes transformacionais que estão sendo transformados por Deus diante das pessoas que lideram.

> **O que dizem os líderes transformacionais**
>
> "Aprendemos com Jesus que liderar é *influenciar* e *conduzir* pessoas. Podemos definir a liderança com base nessas duas ações. Um líder cristão saudável entende bem essa definição e é bem resolvido com Deus, consigo mesmo e com o próximo. Entende sua filiação à família de Deus, bem como sua função como servo. Sabemos que nem todos que ocupam uma função de liderança são realmente líderes. A verdade é que há uma enorme diferença entre aqueles que possuem somente um título e aqueles que realmente lideram."[1]
>
> Carlito Paes,
> pastor da Igreja da Cidade, em São José dos Campos (SP)

Muitas igrejas enfrentam dificuldades para definir sua área de concentração. Sem saber sua vocação quanto ao lugar em que foram plantadas, têm dificuldade em permanecer fiéis ao seu real chamado. Sem um senso claro de propósito, elas nunca estabelecem uma estratégia bem definida e vivem mudando o que fazem para cumprir aquilo que acreditam ser a vontade de Deus. Tais igrejas padecem em terras aparentemente sombrias enquanto o impulso para a frente sempre parece estar um passo além do alcance.

As igrejas transformacionais, por sua vez, têm líderes que entendem sua visão e seu propósito. Seu plano inclui o desejo claro de ver vidas transformadas. Em vez de estar sempre procurando uma estratégia a fim de tentar obter resultados mais rápidos, os líderes das igrejas transformacionais assistem às melhores práticas de outros e, assim, aprendem a dar mais sustentação a uma compreensão já clara de seu contexto. O fato é que aquilo que funciona para líderes como Jeremias Pereira, em Minas Gerais, ou Armando Bispo, no Ceará, pode não funcionar para José João, no Amazonas, para Ricardo Agreste, em Campinas, ou para Carlito Paes, em São José dos Campos.

Os líderes transformacionais permitem que Deus molde suas igrejas. Assim como Cristo é formado nos indivíduos, o mesmo Cristo é formado em uma igreja. A igreja transformacional é Jesus sendo apresentado à comunidade. As igrejas transformacionais são obstinadas quanto à visão e se concentram em pessoas; seus líderes estão concentrados na missão de Deus para sua igreja. A liderança deles é multiplicada por um tipo diferente de pauta, baseada na crença central de que Deus nos enviou em missão.

Os discípulos receberam a comissão pós-ressurreição de Jesus: "Mais uma vez, ele disse: 'Paz seja com vocês! Assim como o Pai me enviou, eu os envio'" (Jo 20.21). O propósito que o Senhor tinha para eles não era uma expressão ingênua e suave, como "descubram uma nova pessoa dentro de vocês" ou "corram atrás dos seus sonhos". Jesus colocou seus discípulos de frente para o exterior, e os enviou com a missão de transformar o mundo por meio do evangelho. Os líderes de igrejas transformacionais foram capturados por essa visão, segundo a qual lideram as pessoas, e o fazem com transparência: a pesquisa mostrou que 84% de seus membros concordam plena ou moderadamente que conhecem a visão da igreja. Isso é impressionante!

Entendimento da liderança transformacional

A missão de Deus é uma prioridade, em vez de ser simplesmente uma coisa a mais em meio a várias outras. Curiosamente, na maioria das igrejas as missões são apenas um item numa lista de muitas prioridades. Porém, colocar missões como mera atividade entre muitas outras está longe do coração de Deus e limita nosso potencial de promover transformação.

A liderança transformacional entende que a igreja existe para a missão de Deus, e que o Senhor levanta líderes para ajudar a igreja a se concentrar nela. O termo "missões" (no plural) se concentra mais nas tarefas globais: orar por missionários, pregar sobre missões, participar de viagens missionárias, levantar ofertas especiais e assim por diante. Necessitamos de mais missões, missionários e igrejas focados em missão. Contudo, isso não é suficiente. Precisamos ter a mentalidade de missão *e* sermos missionais onde estamos plantados, quer seja nas cidades, quer nas zonas rurais do Brasil. E essa é uma questão que parte da liderança. A mudança de ser apenas uma igreja que "apoia missões" para uma igreja transformacional não deve ser complicada, mas precisa começar com uma ênfase na liderança, encorajando pessoas na direção da missão. Isso pode significar enfatizar algumas ações e deixar outras para trás.

Nas igrejas transformacionais, os líderes são missionais e morrerão alegremente pela missão de Deus, pois são voltados para fora. Eles se concentram em alavancar cada vida para o reino de Deus ao redor do mundo. A liderança enfatiza a necessidade de ser e de fazer. Em vez de uma falsa dicotomia de formação ou ação, ela abraça a necessidade de ambos.

O conceito de "liderança" talvez seja um dos mais confusos no ambiente eclesiástico. Quando ouvimos a palavra "liderança", a imagem que formamos na mente é, em geral, a de um executivo forte, inabalável, que não teme ninguém, a não ser Deus. Esse líder segue em frente com uma tribo de seguidores enlouquecidos, com o carisma de um apresentador de programa de televisão e uma personalidade que faz com que até mesmo um contato casual se transforme em algo inspirador. Segundo essa imagem, esse líder é sempre corajoso e, às vezes, impulsivo. Algumas dessas qualidades são positivas e importantes para o reino, mas o ponto é que o assunto aqui não é liderança: é *liderança transformacional.*

Em que aspectos esses dois conceitos são diferentes? A liderança transformacional está concentrada no exterior do mundo do líder. Os líderes transformacionais podem ser carismáticos e inspiradores, mas o que define sua liderança é uma influência centrífuga, isto é, para fora. Já um líder natural atrai as pessoas para dentro e as envia para fora. A liderança na igreja transformacional é missional em perspectiva e, nas decisões, é voltada à ação.

Um líder natural atrai e reúne outros líderes. Os líderes de igrejas transformacionais que conhecemos em nossa pesquisa multiplicam e distribuem líderes por todo o mundo. Em vez de promover a si próprios, promovem a missão de Deus. A quantidade de pessoas que ouvem o sermão ou comparecem ao culto da igreja local é uma questão secundária — embora não insignificante. Apesar de variar em tamanho e localização, todas as igrejas transformacionais estão empenhadas em fazer discípulos por meio de uma congregação local. O líder de uma igreja transformacional deseja que mais pessoas frequentem a igreja, mas porque querem enviar mais pessoas de volta à comunidade e ao mundo. O foco da paixão de um líder de uma igreja transformacional está nas pessoas perdidas, e não em igrejas maiores.

O pastor Dalton de Souza Lima, da Igreja Batista em Icaraí, em Niterói (RJ), uma igreja qualificada em nossa pesquisa como transformacional, mencionou a mudança de mentalidade ocorrida na sua comunidade quanto à tarefa de liderar pessoas a Cristo:

> Nós vemos mais maturidade nos líderes, porque, às vezes, notamos líderes que lideram ministérios com o objetivo de se sentirem realizados. O que vemos hoje é que os que ocupam posições de liderança na nossa igreja o estão fazendo por consciência do seu papel na missão de Deus, por responsabilidade com o reino de Deus e por amor aos irmãos e aos perdidos.

Mudança de mentalidade

A palavra-chave é *transição.* As igrejas devem fazer a transição de um programa de missões segmentado e morno para adquirir o perfil de uma igreja missional com liderança vibrante, que leva a congregação inteira a se engajar na missão de Deus, tanto local quanto globalmente.

Essa mudança não é algo tão simples quanto redigir uma nova declaração de visão ou realizar uma série de sermões desafiadores. Quando a igreja assume o papel de um missionário, uma mudança radical na visão de liderança deve acontecer. O velho modelo servia para concentrar poder e controlar as pessoas; já os líderes transformacionais buscam dar poder e multiplicar. Eles pensam em termos de movimentos que Deus opera.

Nesse processo, a paciência é fundamental e a coragem para afastar a pretensão de controle sobre tudo e confiar em Deus é indispensável. Na verdade, são necessárias quatro mudanças de mentalidade para que o líder abrace o modo transformacional de liderar.

Primeira mudança de mentalidade: de um líder para muitos

O modelo do CEO "super-homem" deve ser substituído pela atribuição de um valor maior a cada homem e mulher. Nosso superpastor profissional será alguém treinado em lugares exclusivos chamados seminários a fim de ganhar *expertise* em negócios, terapia familiar, comunicação, *marketing*, gestão e teologia. O pastor aprenderá como liderar equipes locais para que alcancem crescimento eclesiástico espetacular.

Uma congregação tem expectativas incrivelmente altas de seu superpastor, que retribui o favor tendo expectativas incrivelmente altas de sua congregação. Mas, quando o sonho não se realiza, dedos começam a ser apontados mutuamente. Pastores irados lamentam sobre as pessoas terríveis de sua congregação, pois ele exige comando e controle unilaterais; em contrapartida, os membros exigem um alto nível de satisfação do cliente, estabilidade financeira e sucesso numérico. E ninguém recebe o que deseja.

A Reforma Protestante mudou a paisagem espiritual, política e econômica do mundo e estabeleceu as bases para muitos avanços, não só na compreensão e na praxe da fé cristã, mas também no que se refere à redefinição da mentalidade do homem ocidental moderno. Ao exaltar a autonomia do indivíduo diante da autoridade eclesiástica e das estruturas de poder religioso, a Reforma abriu espaço para muitos movimentos posteriores. Com isso, deu impulso à liberdade humana na busca pelo conhecimento, assim como para a luta contra toda forma de obscurantismo religioso e intelectual.

Embora um tema importantíssimo para a saúde da Igreja de Jesus Cristo tenha sido tratado teoricamente na construção da doutrina das igrejas reformadas, ao que parece deixou de ser plenamente desenvolvido no processo histórico e continua sendo um problema a ser enfrentado: o celebrado e teologicamente reconhecido, mas pouco praticado, sacerdócio individual de cada cristão.

Uma das grandes contribuições do reformador alemão Martinho Lutero foi a sua visão a respeito do sacerdócio de cada filho e filha de Deus, a ponto de promover, ao menos no campo das ideias, a quebra da tradicional e insidiosa divisão da igreja em duas classes: o clero, formado pelos sacerdotes, e o laicato, composto pelas demais pessoas. Para ele, como cristãos, somos sacerdotes uns dos outros, e esse sacerdócio deriva diretamente de Cristo para os membros do seu Corpo. Baseando-se em 1Pedro 2.9 e Apocalipse 1.6, o reformador reafirmou que todos os eleitos são sacerdotes e que, por isso, há sete direitos que pertencem à igreja como um todo: pregar a Palavra de Deus, batizar, celebrar a santa comunhão, carregar "as chaves", orar pelos outros, fazer sacrifícios e julgar a doutrina.

Embora tenha reconhecido a singularidade e a importância do papel dos pastores ordenados para o ensino e a liderança da igreja, Lutero também afirmou que tal função é designada pela própria congregação e é algo que pode ser dado e tirado por ela, visto que a ordenação de um ministro por meio da oração e da imposição de mãos não confere a ele uma marca indelével. Por essa razão, Lutero destruiu teologicamente a heresia das classes eclesiásticas e incentivou a participação de todos os cristãos na obra do ministério. O reformador João Calvino se opôs de maneira violenta aos abusos do clericalismo, que negava às pessoas seus plenos direitos e responsabilidades como servos de Deus redimidos e restaurados.[2] Tal pensamento derivava da concepção de que, embora haja diferença de função entre os líderes e os demais membros da igreja, não há diferença de valor ou de mérito entre eles (cf. Gl 3.28).

Chamamos a atenção, contudo, para o fato de que, a despeito de uma boa teologia ter sido desenvolvida pelos reformadores sobre esse tema, o sacerdócio universal de cada cristão continua sendo negligenciado em todos os ramos da cristandade, em razão de uma excessiva concentração de poder e de serviço ministerial nas mãos de líderes eclesiásticos, que, infelizmente, contam com o consentimento inerte e confortável de milhões de homens e mulheres que ainda não descobriram — ou deixaram adormecer — todo o potencial que lhes foi concedido pelo Espírito Santo para o cumprimento da missão dada por Cristo e para a sinalização do reino de Deus no mundo, em uma clara negação do ensino das Escrituras sobre essa questão (cf. Jl 2.28-29; At 1.8; 1Co 12.12-13).

Quando eu, Sérgio, iniciei-me no ministério, a gestão da igreja parecia fácil. No entanto, com o passar do tempo e o rápido crescimento da comunidade, a minha presença parecia ser cada vez mais necessária e requerida. Nesse momento de crise, eu cogitei duas opções: ou me dedicava exclusivamente à igreja e deixava a minha profissão "secular" como procurador da Fazenda Nacional, de onde provinha o meu sustento, ou reformulava a minha visão sobre o significado e a razão de ser da liderança pastoral. Após muitas lágrimas, escolhi a segunda opção e começamos o projeto Cidade Viva, que hoje envolve cerca de 1.500 ministros e ministras voluntários.

Passei a entender que trabalhar "fora" e continuar servindo à igreja com todas as minhas forças tinha grandes benefícios.

Dentre eles, a necessidade de priorização do meu tempo e a formação de uma equipe forte e comprometida, a exemplo do que fez Moisés quando recebeu o sábio conselho do seu sogro (cf. Êx 18.13-26). Sem falar no exemplo que, sem perceber, comecei a dar aos irmãos e irmãs da comunidade. Ao ver minha luta pessoal para servir a Deus como profissional e pastor ao mesmo tempo, eles começaram a se sentir motivados a deixar a zona de conforto e somar esforços para alcançar os alvos de Deus para o ministério da nossa igreja local.

Além disso, descobri que a frustrante sensação de falta de tempo para fazer tudo o que o ministério pastoral "exige" poderia estar fortemente relacionada à ausência de investimento intencional em outros líderes e à falsa ideia — por nós cultivada e erroneamente aplaudida pelos membros da comunidade — de que somos imprescindíveis e insubstituíveis no cotidiano da igreja local. Paulo ensina que, pelo contrário, o papel da liderança não é fazer a obra do ministério, o que normalmente muitos esperam dos pastores, mas preparar o povo de Deus para que todos façam a obra do ministério, com base na vocação do Senhor, no sacerdócio universal de cada cristão e na singularidade dos seus dons e talentos (cf. Ef 4.11-13).

Entendo que há pelo menos dois obstáculos que, se removidos, farão eclodir uma significativa reforma da Igreja de Cristo em direção a uma situação em que cada cristão — movido pela fé, consciente do seu sacerdócio e cheio do Espírito Santo — se unirá aos demais para transformar todas as faces da vida humana, para a glória de Deus e alegria da humanidade.

O primeiro refere-se a uma equivocada compreensão do conceito bíblico de trabalho. Em nenhum lugar a Bíblia separa trabalho "secular" de "sagrado". Em contrapartida, o trabalho justo e digno, qualquer que seja, é tratado na Bíblia como uma dádiva de Deus, um veículo de valorização e dignificação da vida humana, uma marca inquestionável da *imago Dei* presente em todos nós, além de ser uma característica importantíssima do nosso mandato cultural (cf. Gn 1.28; Sl 128.1-2; Mt 10.7; 2Ts 3.10-11).

Se hoje dividimos as esferas da vida em "sagrada" e "secular" é porque estamos dando mais ouvidos a Platão do que a Jesus. Agimos como gnósticos, ou mesmo como quem bebe inadvertidamente das fontes do dualismo iluminista, fragmentando aquilo que Deus nunca desejou fragmentar. Para o Senhor, não há trabalho "secular" nem trabalho "sagrado". Há simplesmente o trabalho que glorifica o seu nome e o que não glorifica. Inclusive, a palavra hebraica que define o ato de servir ou adorar a Deus (*avodah*) também significa "trabalhar". Desse modo, de acordo com a genuína doutrina cristã, a vida vivida na lavoura, na empresa, na escola ou na comunhão da igreja deve ser um constante ato de adoração transformadora (cf. 1Co 10.31; Cl 3.2).

O segundo obstáculo para uma reforma significativa na igreja contemporânea, que promova a real participação de todos os cristãos na obra do ministério, relaciona-se ao mito que mencionamos anteriormente e paralisa o Corpo de Cristo: o mito do "super-homem" de Deus. Esse mito é escravizador, pois aprisiona a igreja e os seus pastores a um paradigma equivocado, colocando simples mortais em uma posição que não é compatível com a sua limitada humanidade.

Confesso que sofri muitas vezes por não visitar todos, orar por todos, ouvir a dor de todos e resolver os problemas de todos os que me procuraram nesses anos. Até que destruí definitivamente esse mito escravizador e comecei a perceber que o próprio Jesus não solucionou pessoalmente todas as demandas a ele apresentadas, mas repartiu com os discípulos a tarefa de ser Igreja (cf. Mt 14.15-16; 25.34-40; Mc 3.13; Jo 4.1-3).

Além disso, uma vida cristã comunitária que agrada a Deus tem na interdependência (cf. 1Co 12.20-26) e no cumprimento dos mandamentos recíprocos perfeitas expressões do sacerdócio de cada um, líderes ou não. Assim, quando todos os cristãos começarem a honrar uns aos outros (cf. Rm 12.10), amar uns aos outros (cf. Rm 13.8), encorajar e edificar uns aos outros (cf. 1Ts 5.11), orar e confessar seus pecados uns aos outros (cf. Tg 5.16), carregar os fardos uns dos outros (cf. Gl 6.2), dentre outras dezenas de demonstrações de mutualidade, uma grande revolução acontecerá, liberando todo o potencial missional da Igreja de Cristo no mundo.

A igreja primitiva experimentou muito bem o privilégio de ser uma *communio sanctorum*, onde todos entendiam o seu papel. Porém, a profissionalização do clero, especialmente após o perigoso casamento da Igreja com o Estado, no século 4º e, mais intensamente após o Iluminismo, fez adormecer a chama de uma vida cristã integral no coração dos "leigos". Isso os condenou ao papel de meros espectadores das *performances* clericais.

Glória a Deus pela vida dos reformadores, por terem resgatado as bases teológicas para o sacerdócio universal de todos os cristãos. Entretanto, o mundo ainda precisa testemunhar uma nova reforma acontecendo na Igreja. Isso acontecerá quando a letargia, o comodismo e as politicagens clericais derem lugar a uma transformadora revolução dos sacerdotes adormecidos.

Quanto às igrejas transformacionais, elas quebraram essa lógica paralisante e, embora contem com líderes fortes, entendem a importância de todo homem e de toda mulher atuarem como missionários. Para as igrejas transformacionais, o super-homem é para as revistas em quadrinhos, e não para o Corpo de Cristo. Pensar de maneira contrária é evoluir na direção de um sistema contraproducente, baseado em um superlíder. O resultado é uma mão de obra missionária não envolvida, pouco desafiada e subutilizada.

Quando entrevistamos os membros das igrejas transformacionais, perguntamos se concordavam ou discordavam da seguinte declaração: "Nossa igreja tem em ação um sistema para desenvolver futuros líderes", uma declaração específica e desafiadora. Para nosso deleite, 81% concordaram forte ou moderadamente com a declaração, uma taxa bem alta em comparação com as igrejas não transformacionais. É encorajador ver que membros, e não apenas líderes, percebem a existência de um sistema assim em sua congregação. Os líderes das igrejas transformacionais estão buscando ativamente expandir influência, em vez de retê-la para si.

São líderes vibrantes. O fato é que a liderança transformacional empurra as pessoas para fora. Um exemplo é a Igreja de Cristo em Caraúbas, como mostra o pastor Givanildo Leite.

> Existe um trabalho de evangelismo que fazemos nas ruas da nossa cidade, e os membros da igreja se identificam demais com ele. Assim, nós damos a oportunidade de eles participarem no louvor e na pregação da Palavra. Nós trabalhamos preparando as pessoas para que tenham oportunidades reais de usar as suas Bíblias e compartilhar o evangelho. Nós notamos que o microfone às vezes intimida as pessoas; por isso, damos a chance de nossos irmãos pegarem o microfone e falarem do amor de Deus aos moradores da cidade.

Segunda mudança de mentalidade: de "eu" para "nós"

Os líderes transformacionais sabem que qualquer pessoa pode ser usada para cumprir a missão de Deus. Liderar é ajudar os outros a pôr em prática seus dons, e não apenas uma oportunidade para exercer os próprios dons. O papel do pastor é equipar, como claramente especificado em Efésios 4. Ele deve ter a visão de ajudar outros a se alinharem com a missão de Deus e, à medida que são bem-sucedidos, o Senhor é glorificado e sua missão é estendida.

Deus falou claramente por meio de Pedro quando o apóstolo escreveu: "Vocês, porém, são povo escolhido, reino de sacerdotes, nação santa, propriedade exclusiva de Deus. Assim, vocês podem mostrar às pessoas como é admirável aquele que os chamou das trevas para sua maravilhosa luz" (1Pe 2.9). Em outras palavras, você é o canal para o cumprimento da missão de proclamar como Deus é admirável. O líder transformacional alavanca os dons das pessoas para o reino de Deus. Como escreveu Pedro, "Deus concedeu um dom a cada um, e vocês devem usá-lo para servir uns aos outros, fazendo bom uso da múltipla e variada graça divina" (1Pe 4.10).

O líder transformacional pensa em equipe. Ele entende que todo mundo tem um propósito e não há nenhum propósito individual que seja mais importante do que o propósito bíblico da equipe. O pastor pode ser o técnico do time e, como todo treinador, sabe que, se os jogadores não entrarem em campo, não há jogo. Um time de futebol não consegue sobreviver apenas com o goleiro e o atacante; todos são necessários. Um time de futebol não pode vencer tendo apenas uma equipe técnica premiada, sem dispor de nenhum jogador. As igrejas transformacionais encontraram uma maneira de "vencer" ao engajar todo cristão na obra que Deus lhe atribuiu. Essas congregações são apascentadas por líderes transformacionais que levantam membros de equipe transformacionais com mentalidade missional. O líder transformacional tem, portanto, a responsabilidade divinamente atribuída de criar, na igreja, uma cultura que seja missional e transformacional. O "eu" na liderança se torna o "nós" do Corpo de Cristo.

Terceira mudança de mentalidade: do poder pessoal para o empoderamento das pessoas

Nossa pesquisa descobriu que membros e líderes presentes em igrejas transformacionais não apenas estão preparados para entregar o ministério, mas gostam de fazê-lo. Surpreendentemente, 80% dos membros das igrejas transformacionais concordaram plena ou moderadamente que os seus líderes não temem sair de cena para passar responsabilidades ministeriais para outras pessoas. Em uma igreja transformacional, o medo de entregar o ministério a outra pessoa se dissipa e, em vez disso, os líderes procuram maneiras de entregar o ministério aos demais membros do Corpo de Cristo, cumprindo assim o modelo de ministério de Jesus e quebrando a lógica do ciúme, do culto ao ego e do receio de perder espaço institucional.

A esta altura, vale ressaltar que, durante a pesquisa, uma característica marcante da cultura brasileira foi levada em consideração: o alto índice de *distância de poder*. Esse conceito pode ser definido como o grau de influência que uma pessoa tem sobre as ideias e os comportamentos de outras pessoas. Tal expressão foi primeiramente utilizada por Mauk Mulder, psicólogo holandês que, em 1960, conduziu experimentos para investigar as dinâmicas interpessoais de poder. Esse construto cultural explica como uma sociedade lida com o problema da desigualdade entre as pessoas. O psicólogo holandês Geert Hofstede, um dos mais importantes pesquisadores sobre diferenças culturais entre nações, explica que a desigualdade pode ocorrer em várias áreas, tais como prestígio, riqueza e poder. Assim, cada sociedade dá pesos diferentes a essas diferenças, valorizando-as mais ou menos, enquanto a distância de poder dentro das organizações também varia de cultura para cultura e é normalmente percebida no relacionamento entre os chefes e os subordinados.[3] Em outras palavras, a distância de poder pode ser definida como a extensão na qual os membros menos poderosos de uma instituição ou organização dentro de certo país não apenas esperam, mas também aceitam que o poder seja distribuído desigualmente. Isso é determinado, em um nível considerável, pela cultura nacional.

Como um dos objetivos da pesquisa sobre as igrejas transformacionais no Brasil foi a contextualização dos princípios de saúde e missionalidade encontrados na pesquisa feita no Estados Unidos, precisamos realizar uma séria análise da cultura brasileira. Na verdade, Brasil e Estados Unidos são sociedades bastante diferentes em termos culturais, o que se pode afirmar, além do senso comum, com base em pesquisas científicas robustas.[4]

Hofstede observou que a sociedade brasileira acredita que a hierarquia deve ser respeitada e que as desigualdades entre as pessoas são aceitáveis. O Brasil teve pontuação 69 na escala de distância do poder, comparado com 40 dos Estados Unidos. Em razão do baixo índice de distância de poder, nos Estados Unidos as estruturas hierárquicas são estabelecidas mais em nome da conveniência, os superiores são mais acessíveis e os gerentes utilizam-se do conhecimento e das informações provenientes de seus subordinados ou mesmo de suas equipes. Além disso, os gerentes e os empregados esperam ser consultados pelos seus superiores, em uma ambiência na qual a informação é frequentemente compartilhada. Já no Brasil, os símbolos que revelam o *status* do poder são muito importantes para indicar a posição social e para "comunicar" que o respeito ao superior deve ser demonstrado.[5]

Outro importante dado sobre a distância de poder no Brasil é que, dependendo da ocupação no mercado de trabalho, há uma grande diferença nos índices de distância de poder, que varia de 64 entre os engenheiros de sistema a 115 entre os trabalhadores sem qualificação profissional. Os dados indicam que essa grande distância de poder presente no mercado de trabalho pode afetar negativamente a forma como as igrejas em áreas de baixa renda lidam com a distribuição de poder em sua dinâmica interna, o que também pode produzir lideranças pastorais abusivas.

A questão da distância de poder tem intrigado muitas pessoas ao longo dos séculos, desde o papa Gregório VII, que tentou estender o poder do papado, até pensadores como Nicolau Maquiavel, que, no século 16, escreveu sobre como manter e exercer o poder. Na atualidade, cientistas têm estudado como a religião influencia as lógicas da distância de poder. O Globe Study, estudo comparativo das culturas de 62 países, por exemplo, concluiu que as sociedades de maioria culturalmente católica são marcadas por uma forte distância de poder, a despeito de Jesus ter estabelecido princípios que desafiaram as existentes estruturas do *status quo* tanto do judaísmo como do Império Romano. Em sequência, o protestantismo tornou-se proeminente no Ocidente e caracterizou-se por uma migração do poder das mãos da Igreja Católica e dos sacerdotes para as mãos do povo, fomentando, assim, práticas com menor distância de poder nas sociedades que foram influenciadas pela Reforma.[6]

Geert Hofstede chegou às mesmas conclusões sobre a influência do catolicismo na ocorrência de altos índice de distância de poder no Brasil. Segundo esse pesquisador, a Igreja Católica mantém a ordem hierárquica que havia no Império Romano, enquanto as igrejas protestantes são, em diferentes níveis, menos hierárquicas. Isso explicaria por que as nações protestantes tendem a apresentar índices de distância de poder menores que as nações de maior influência católica, como o Brasil.[7]

Portanto, tendo em vista que, em 1890, quase 99% da população brasileira era católica, e a despeito do tremendo crescimento do protestantismo no país nas últimas décadas, nossa população ainda é majoritariamente católica. Consequentemente, é normal esperarmos altos índices de distância de poder no Brasil contemporâneo.

Como os ensinos do Novo Testamento apontam para a necessária igualdade entre os membros da Igreja, uma elevada distância de poder pode funcionar como um obstáculo cultural real para o desenvolvimento de igrejas saudáveis e missionais. De fato, o Espírito Santo é derramado sobre todos os cristãos que tenham realmente nascido de novo (cf. Jl 2.28; At 2.1-17). Paulo também ensina que todos os cristãos são importantes no Corpo de Cristo (cf. 1Co 12.12-26), e Pedro afirma que todos os membros da Igreja são sacerdotes (cf. 1Pe 2.5-9). Assim, não há dúvida de que uma das mais importantes doutrinas do cristianismo é o sacerdócio de todos os cristãos, e essa verdade bíblica pode ser desconsiderada com maior facilidade em sociedades com uma alta distância de poder — como o Brasil.

Um dos pastores entrevistados na segunda fase da pesquisa, Armando Bispo, da Igreja Batista Central de Fortaleza, afirmou que as estruturas hierárquicas do catolicismo são um obstáculo cultural para o desenvolvimento de igrejas saudáveis, especialmente no Nordeste, e promovem uma visão equivocada entre os membros acerca do poder dos pastores. É como se muitos se convertessem ao protestantismo, mas continuassem a enxergar os pastores como enxergavam os padres no que se refere à distribuição de poder.

Na verdade, a Bíblia não condena a existência de certa distância de poder. Sinais dessa realidade parecem estar presentes no Novo Testamento, mas se relacionam a um humilde exercício de autoridade, em que os mais novos devem se submeter aos mais velhos (cf. 1Pe 5.5), os presbíteros devem receber dupla honra (cf. 1Tm 5.17) e os pastores não devem ser dominadores daqueles que lhes foram confiados, mas precisam ser exemplo para o rebanho (cf. 1Pe 5.3). O próprio Jesus é o modelo clássico do líder servo, daquele que se doa e morre por seus liderados.

Por essa razão, durante as entrevistas feitas em profundidade com os líderes das igrejas brasileiras, buscamos entender como a distância de poder influencia os seus ministérios. Para nossa surpresa, apenas dois dos cinquenta pastores entrevistados na segunda fase da pesquisa demonstraram liderar com grande distância de poder. Um deles chegou a afirmar: "Todas as decisões aqui são tomadas exclusivamente por mim. Como eu já disse, eu sou o pastor". Curiosamente, esses dois pastores eram justamente os mais idosos dentre todos (com 77 e 81 anos).

Diante dessa realidade, uma questão precisa ser respondida: como explicar os baixos índices de distância de poder na maioria das igrejas investigadas na segunda fase da pesquisa, tendo em vista que o Brasil ainda é um país com um dos mais altos índices de distância de poder? A primeira razão parece ser mesmo uma mudança de paradigma na mente e no coração dos pastores das igrejas transformacionais, fruto da busca por um estilo de liderança mais bíblico e menos influenciado culturalmente.

Hofstede aponta uma segunda possível razão para uma mudança nas relações de poder dentro da igreja brasileira, que parece estar ligada a um contínuo decréscimo da distância de poder na América Latina, em razão de fatores sociais e políticos, incluindo maiores oportunidades educacionais. Segundo ele, é no mínimo impressionante o fato de que nas últimas décadas tenha havido uma gradativa redução da distância de poder em uma larga parte do mundo. Para ele, independência é um tópico politicamente interessante e têm sido abundantes os movimentos a favor da libertação e da emancipação, além das crescentes oportunidades educacionais em muitos países — o que promove a redução da distância de poder.[8]

A conclusão é que a baixa distância de poder encontrada na maioria das igrejas investigadas durante a entrevista com os pastores titulares pode estar relacionada a uma melhor compreensão da doutrina do sacerdócio universal de todos os cristãos, assim como a outros fatores sociais e políticos ocorridos na América Latina, especialmente após a Segunda Guerra Mundial. O que não podemos negar é que as dinâmicas de poder encontradas nas igrejas transformacionais contradisseram as nossas expectativas quanto ao alto índice de distância de poder presente na cultura brasileira. Também como prova disso, 94% do membros entrevistados na terceira etapa concordaram moderada ou fortemente com a seguinte afirmação: "A relação entre os líderes e os membros é amigável e respeitosa". Além disso, 92% concordaram moderada ou fortemente que a relação entre os líderes e os membros não é marcada por dominação ou abuso espiritual. Porém, entendemos que pesquisas adicionais precisam ser feitas entre igrejas saudáveis e não saudáveis com relação a esse importante tópico.

Quarta mudança de mentalidade: da igreja local para o reino de Deus

Não somos desconstrucionistas cansados das reuniões da igreja. Deus ama e valoriza a assembleia local de pessoas chamada "igreja". Portanto, agimos da mesma maneira. Mas descobrimos que líderes de igrejas transformacionais estão igualmente preocupados com a obra mais ampla do reino de Deus e com a obra local de sua congregação individual. Os líderes transformacionais sabem que o reino de Deus gera a igreja.

Os Evangelhos mostram Jesus falando constantemente sobre o reino. A palavra "reino" aparece pelo menos oitenta vezes neles, enquanto "igreja" aparece apenas em Mateus 16 (sua fundação) e 18 (disciplina aplicada pela igreja). A igreja e o reino estão relacionados. O reino veio primeiro, e a igreja local é uma ferramenta dele.

Muita coisa tem sido escrita sobre os problemas da igreja. Vemos pessoas com temor crônico da igreja institucional.

Certamente, a igreja organizada tem suas falhas, mas os problemas existem desde que foram plantadas as primeiras igrejas, ainda no primeiro século da era cristã. Prédios e programas ajudam a missão, mas também podem se tornar o foco desnecessário de uma congregação.

Seja por meio de tijolos e cimento, seja por meio de projetos ou simplesmente por influência interna do eu, a igreja pode perder o foco em relação à missão do reino. Com o advento do edifício da igreja (o templo), surgiu a tentação de se tornar uma congregação focada no prédio, no interior e no eu. As pessoas se tornaram espectadoras. O espalhamento da igreja por toda a cidade foi substituído pela reunião sagrada e passiva em um lugar determinado. Em alguns momentos, o prédio e as atividades da igreja tornaram-se mais importantes do que o reino de Deus.

A competição, a idolatria denominacional e o saudosismo obstruem ainda mais a visão do reino. O verdadeiro significado da assembleia (povo de Deus) encontra seu lugar no reino dos céus, que é muito maior, não importa o prédio ou a época. As pessoas são movidas em direção ao Senhor por causa da visão de um propósito mais elevado do que simplesmente a reunião. Quando a igreja é reduzida a esse lugar aonde vamos aos domingos, reduzimos a igreja e o reino a algo menor do que aquilo que Deus deseja.

Os líderes das igrejas transformacionais movem o povo de Deus para fora, cientes de que o reino de Deus em expansão ajudará os cristãos a se parecerem mais com Jesus. A igreja exibirá mais qualidades do Corpo de Cristo e sua comunidade será impactada pelo reino. A igreja à mostra tem a ver com pessoas por meio das quais Deus recebe glória.

Paulo vivenciou a liderança transformacional. Ele foi um organizador que serviu de modelo de humildade pessoal e de vontade inabalável. Mas, quando falou sobre liderança, não conseguiu deixar de usar palavras como "dom" e "graça":

> Ainda que eu seja o menos digno de todo o povo santo, recebi, pela graça, o privilégio de falar aos gentios sobre os tesouros infindáveis

> que estão disponíveis a eles em Cristo e de explicar a todos esse segredo que Deus, o Criador de todas as coisas, manteve oculto desde o princípio. O plano de Deus era mostrar a todos os governantes e autoridades nos domínios celestiais, por meio da igreja, as muitas formas da sabedoria divina.
>
> Efésios 3.8-10

Mais uma vez, vemos a liderança vibrante como algo inerentemente missional e intencional. Um líder transformacional tem uma resolução baseada em um encontro real e constante com Deus, e não um desejo de ser "usado" ou conhecido.

A estrutura de liderança das igrejas transformacionais

A transformação na liderança que estamos testemunhando no Brasil é um novo abraço da grandeza de Deus mostrada por intermédio da pesquisa que gerou este livro. Os líderes de igrejas transformacionais querem que aqueles que estão à sua volta digam "agora eu sei mais sobre este grande Deus", e não "agora temos um grande líder". Os líderes transformacionais aprenderam a trocar o pequeno e trivial pelo que é grandioso e eterno.

Afirmamos que os líderes das igrejas transformacionais são missionais, isto é, estão concentrados na transformação que vem do evangelho e do reino. E fazem isso se envolvendo pessoalmente na missão de Deus. A mudança de mentalidade na jornada da liderança missional resulta na criação de novos ambientes de liderança, nos quais os líderes são empoderados e multiplicados e os membros são valorizados como os maiores recursos de Deus para cumprir sua missão. Nesses ambientes, você nunca ouvirá frases como "o ministério seria ótimo se não fossem as pessoas", pois ali há entendimento de que o ministério é composto por pessoas.

Nas igrejas transformacionais, as pessoas vivem estimuladas, tanto que nossa pesquisa mostrou que 91% delas concordam forte ou moderadamente com a afirmação: "Eu me sinto estimulado com o que a minha igreja realiza". Nesses ambientes, os crentes trabalham diligentemente na missão de transformação porque recebem responsabilidade e oportunidade, e se entusiasmam porque testemunhar a transformação de uma pessoa e de uma comunidade é algo digno do esforço de servir e liderar.

Que tipo de estrutura apoia um líder transformacional e a missão de Deus? Em nossa pesquisa, observamos várias igrejas que incorporaram práticas transformacionais específicas, mas não identificamos uma estrutura fixa ou um padrão prévio. Detectamos, sim, três tendências substantivas, as quais não eram específicas ao contexto de tamanho, modelo ou localização.

As comissões tradicionais cedem lugar a equipes baseadas em afinidades

A abordagem tradicional das comissões votadas em assembleia era evidente em algumas estruturas, mas uma abordagem mais comum era a de equipes baseadas nos dons de cada membro. Contudo, mesmo com a estrutura tradicional de comissões, aqueles que serviam o faziam com base na paixão e em seus dons. Algumas igrejas mudaram para equipes administrativas ou consultivas que funcionam em múltiplos papéis. Em alguns casos, por exemplo, comissões de indicação, finanças ou pessoal foram combinadas em uma única equipe.

Os membros da igreja são encorajados a descobrir seus pontos fortes, dons espirituais e talentos

Muitas igrejas tinham processos de avaliação nos quais os indivíduos podiam descobrir sua capacitação individual. Os líderes dão orientações pessoais para ajudar os membros a descobrir lugares específicos nos quais possam exercer seus dons.

Os membros da congregação não votam sobre cada questão

Nas igrejas transformacionais, os membros só eram consultados nas questões mais importantes. Sua perspectiva era não apenas valorizada, mas o fato de dar-lhes uma oportunidade de participar era fundamental para seguir adiante.

O exemplo de Jesus

Ao estudar o assunto da liderança transformacional, é preciso analisar seu exemplo maior: Jesus. Em Cristo encontramos a perfeição; portanto, olhamos para ele como nosso modelo fundamental de liderança transformacional. Listamos a seguir dez características de Jesus como líder transformacional, para que, em comparação com ele, você possa avaliar sua própria vida e sua atividade como líder.

Jesus investiu em pessoas

O Senhor investiu em indivíduos porque acreditava neles. Paulo descreve a confiança que Deus deposita em nós como sendo santa: "Falamos como mensageiros aprovados por Deus, aos quais foram confiadas as boas-novas" (1Ts 2.4). A palavra "confiada" comunica o fato de que o Senhor acreditava nas pessoas a quem ele transmitia o evangelho. Jesus demonstrou uma confiança incrível no potencial das pessoas de deixar que ele as usasse para um propósito mais elevado.

Jesus enxergava longe

A liderança de Jesus fica evidente quando ele ora ao Pai: "Não te peço apenas por estes discípulos, mas também por todos que crerão em mim por meio da mensagem deles" (Jo 17.20). O Senhor estava vivendo além do momento. Com as pressões da liderança da igreja local, é possível que nossa visão seja encurtada. Nunca devemos reduzir o desejo de Deus a medidas inconsequentes. Os líderes de igrejas transformacionais olham para além do que já olharam. Em vez de um calendário eclesiástico de um ou dois anos, precisamos planejar para o século seguinte. Jesus orou por milhares de anos no futuro, em detalhes, em favor de bilhões e bilhões de pessoas.

Jesus enviou pessoas para longe, em missão

A prática transformacional (o envio) continua a aparecer em passagens como Lucas 9.1-2 e 10.1-2, que mostram Jesus enviando os discípulos para longe a fim de realizar sua obra ministerial. Cristo os enviou para tocar o ferido e trabalhar na colheita. O ambiente em torno de Jesus era análogo ao de um terminal de aeroporto, com discípulos constantemente chegando e partindo.

Jesus sentiu pesar pelas comunidades

"Quando Jesus se aproximou de Jerusalém e viu a cidade, começou a chorar. 'Como eu gostaria que hoje você compreendesse o caminho para a paz!', disse ele" (Lc 19.41-42). Jesus entristeceu-se profundamente diante da natureza rebelde dos habitantes de Jerusalém. O Mestre amou uma comunidade e nos chama a amar a nossa. "Quantas vezes eu quis juntar seus filhos como a galinha protege os pintinhos sob as asas, mas você não deixou" (Mt 23.37), comentou.

Jesus viveu de forma equilibrada

Ao usarmos a palavra "equilíbrio" estamos nos referindo ao investimento perfeito em ambientes múltiplos. Jesus conhecia o valor do tempo que passava longe das multidões. Em vários momentos, ele se afastou do povo para passar tempo com o Pai. A Bíblia relata: "Então Jesus os mandou para casa, entrou num barco e atravessou para a região de Magadã" (Mt 15.39). Ele se afastou das multidões para descansar e orar. Assim devem fazer, também, os líderes eclesiásticos.

Jesus abraçou outras culturas

Jesus tinha um foco evangelístico transcultural. Ele não demonstrava medo dos samaritanos nem se sentia ofendido por eles, tanto que saiu de seu caminho normal para conversar com eles e recusou-se a desistir quando o rejeitaram. O coração de Jesus é voltado para todas as pessoas, como mostra a conversa transformadora que Jesus teve com uma mulher junto a um poço (cf. Jo 4). Além disso, o Espírito Santo deu origem à Igreja em um ambiente multicultural e multilinguístico. O texto de Atos 1.8 nos lembra de que somos comissionados a alcançar toda cultura e grupo étnico da terra.

Jesus abriu mão de sua vontade

Jesus entregou sua vontade ao Pai. Um líder transformacional está em sintonia com o coração de Deus. Jesus orou brevemente antes de sua morte: "Aba, Pai, tudo é possível para ti. Peço que afastes de mim este cálice. Contudo, que seja feita a tua vontade, e não a minha" (Mc 14.36). Sua missão era comprar a redenção para nós. Não somos capazes de igualar a sua obra; contudo, como líderes transformacionais, devemos nos propor a fazer tudo o que o Pai desejar. Jesus abriu mão de sua vontade humana em favor do propósito mais elevado de Deus. Devemos fazer o mesmo.

Jesus se cercou de pessoas perdidas

A Escritura é explícita: "Cobradores de impostos e outros pecadores vinham ouvir Jesus ensinar" (Lc 15.1). Isso mostra que o Senhor acolhia as pessoas perdidas, tanto que ele foi bondoso com a mulher adúltera (cf. Jo 8.1-11) e com Zaqueu, o cobrador de impostos (cf. Lc 19.1-10). Os perdidos eram atraídos a fim de serem transformados por Cristo por meio da oferta de graça que ele lhes fazia. Se estamos sinceramente motivados a tornar nossas igrejas atraentes, devemos observar o exemplo maior do missionário Jesus. O mais belo aspecto de nossas igrejas é ver as pessoas desfrutando de um relacionamento transformador com Cristo.

A visão de colheita de Jesus foi permeada pela oração

A oração está continuamente conectada à missão de Deus na vida de Jesus. Não temos capacidade de transformar nada sem o poder de Deus. Cristo explicou que o poder necessário para a colheita era encontrado no recurso da oração: "Disse aos discípulos: 'A colheita é grande, mas os trabalhadores são poucos. Orem ao Senhor da colheita; peçam que ele envie mais trabalhadores para seus campos'" (Mt 9.37-38). Os recursos para os trabalhadores da colheita não estão em estratégias de recrutamento, mas na oração que reconhece Deus como eternamente rico em recursos.

Jesus sentiu as necessidades das pessoas

Por que Jesus chorou ao se dirigir ao túmulo de Lázaro (cf. Jo 11.35)? Não foi para que Maria, Marta ou a multidão assistissem, mas porque sentiu a dor daqueles que lamentavam a perda de seu amigo. Jesus amava profundamente o próximo e sentia a dor do outro; ele sentia compaixão porque as pessoas "estavam confusas e desamparadas, como ovelhas sem pastor" (Mt 9.36). O Mestre se importava com as pessoas que tinham fome e medo, que estavam doentes ou oprimidas espiritualmente. Jesus sentia as necessidades dos indivíduos que chegavam até ele.

Jesus veio para servir ao ferido (cf. Lc 4.18) e salvar o perdido (cf. Lc 19.10). Testemunhamos nele as maiores habilidades de liderança transformacional que o mundo já conheceu. Mas ele não forneceu um modelo por causa de sua paixão pela imagem ou pela cultura da liderança: Jesus liderou com base em seu caráter e em seu coração voltado para o mundo. Como líderes, somos apenas peças de mostruário de nosso Senhor, isto é, temos de demonstrar essas mesmas qualidades de Jesus.

Assim, uma vez que tudo tem a ver com Deus, líderes vibrantes estão constantemente liderando as pessoas para que desenvolvam relacionamentos com o perdido e o ferido. Essa liderança com foco no que é externo segue claramente o exemplo de Cristo e é nitidamente transformacional.

Se a liderança vibrante é um dos elementos críticos do "abraçar" das igrejas transformacionais, a intencionalidade relacional é outro. É essa característica que analisaremos em seguida.

5

Intencionalidade relacional

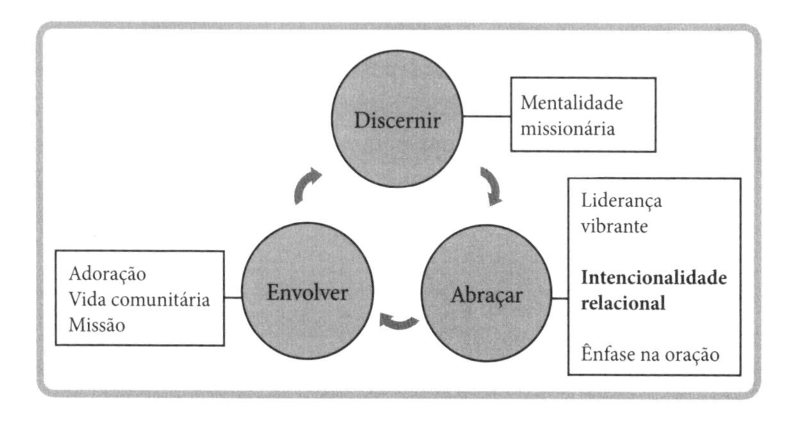

Tempos atrás, um casal da Cidade Viva, a comunidade que eu, Sérgio, pastoreio, resolveu se mudar de João Pessoa para uma área muito pobre, no meio de um assentamento, na zona rural da cidade de Sapé (PB). Após ganharem do Senhor uma filha, seguida de dois filhos especiais, Arthur e Flávia resolveram viver no campo para prover melhor qualidade de vida para as crianças. Lá, eles depararam com uma triste realidade: a inexistência de água potável no seu sítio, algo que ocorria em quase todo aquele vilarejo rural.

Por terem alguma condição financeira, resolveram cavar um poço profundo à procura de água, mesmo sendo desestimulados pelas autoridades locais, que afirmavam que no subsolo daquela região havia apenas água salobra. Porém, para surpresa e alegria deles, ao perfurar a terra encontraram não só água de excelente qualidade, mas em quantidades inimagináveis.

Após alguns dias usufruindo da água, aquele casal sem nenhuma experiência missionária continuava a ver seus vizinhos andando em direção ao rio mais próximo para pegar da única fonte de água que havia disponível naquela região. Cheios de compaixão pelos pobres dali, eles resolveram conectar mais um cano à sua caixa d'água e montaram uma extensão até os limites da propriedade, por onde passava a estrada de barro na qual transitavam seus vizinhos. O casal não somente colocou duas torneiras para o lado de fora do sítio, como também afixou uma placa com os dizeres: *Jesus, a água da vida*.

Em razão de tal atitude, as pessoas começaram a parar em frente à casa deles para encher seus baldes e tonéis de água potável. No início houve até engarrafamento de jumentos, tamanha era a quantidade de pessoas que começaram a usufruir gratuitamente daquele ato de amor e misericórdia. Aquela iniciativa serviu de ponto de partida para a construção de um relacionamento autêntico e despretensioso com as pessoas da região. O que começou com pequenas conversas junto à torneira foi se transformando em um intencional processo de aprofundamento relacional. Depois de algumas semanas, cerca de cinquenta pessoas já se reuniam na casa de Arthur e Flávia para comer juntos e ampliar aquela amizade surgida de maneira tão singela.

Depois de algum tempo, Arthur me procurou a fim de perguntar o que poderíamos fazer naquele lugar em termos missionais. Combinamos, então, que ele deveria começar a ensinar a Palavra de Deus aos seus vizinhos. Assim, iniciamos um treinamento básico para que o casal liderasse uma igreja extremamente orgânica que o próprio Deus estava plantando naquele lugar. Faltava-lhes experiência, mas a intencionalidade nos relacionamentos, regada pelo amor por aquelas pessoas, foi o diferencial para o sucesso do que estava por vir.

Desse modo, vencendo aos poucos as suas limitações, Arthur e Flávia começaram a cuidar daquele povo, discipulando-o com as Escrituras e com a própria vida. Os resultados foram surpreendentes e, quatro anos depois, o grupo chegou ao total de oitocentas pessoas, que celebram a Deus debaixo de uma tenda. Aquela igreja é tão acolhedora, intencional e discipuladora que já conta com dezenas de líderes formados na própria região e várias congregações e grupos pequenos que vêm sendo abertos nos últimos anos.

Esse número salta aos olhos quando nos damos conta de que aquele vilarejo conta com cerca de 1.500 habitantes. Isso significa que, em apenas quatro anos, aquele casal ganhou metade da população local para Jesus. Assim, em razão da intencionalidade relacional que marca a Cidade Viva em Sapé, os que chegam não só são facilmente integrados à igreja, mas rapidamente convidados a dar os próximos passos na fé, para que se tornem autênticos e frutíferos discípulos de Jesus. Um dos meus desafios para a liderança é utilizar o modelo de Sapé nos outros núcleos, congregações e futuras plantações de igrejas da Cidade Viva.

Outro caso é o da Igreja Presbiteriana de Sertaneja, pequena cidade paranaense com cerca de seis mil habitantes. Essa congregação protagoniza de forma inspiradora a prática da intencionalidade relacional. O pastor Orlando Antonangelo, de 65 anos, líder dessa comunidade de 130 membros, relatou o seguinte:

> Nós escolhemos quatro ruas da nossa cidade, por exemplo, e vamos lá tomar nota do nome do líder de cada família, a data do aniversário, a idade, o estado civil, a profissão, se está ou não empregado, quantos adultos e quantas crianças moram na mesma casa, se há alguém enfermo, entre outras informações. Também perguntamos se frequentam alguma igreja, para não pescarmos no aquário alheio. Caso não frequentem nenhuma, perguntamos se eles têm interesse em conhecer mais do evangelho e marcamos uma visita específica com essa finalidade.

A forma de receber os visitantes nos cultos da Igreja Presbiteriana de Sertaneja é edificante:

> As pessoas de fora não entendem que a igreja deve funcionar como um hospital, um lugar para serem curadas e libertas. Muitos pensam que as igrejas evangélicas são lugares para santos e pessoas boas. Por isso eu tenho ministrado sobre a nossa igreja ser um hospital, onde todos podem vir: os doentes, as prostitutas, os *gays*... Todos podem vir, porque nossas portas estão abertas.

O que dizem os líderes transformacionais

"O problema com muitos de nós, pastores conservadores e reformados, é que não estamos abertos a mudanças e adaptações nos cultos, nas atitudes e nas posturas — por menores que sejam — com o objetivo de dar uma cara mais simpática à igreja. Ser convidativo, atraente e interessante não é pecado nem contraria as confissões reformadas ou a tradição puritana."[1]

AUGUSTUS NICODEMUS LOPES, pastor da Primeira Igreja Presbiteriana em Goiânia (GO)

Concluindo seu relato, o pastor discorre sobre as mudanças decorrentes dessa maneira de enxergar as pessoas e a cidade: "Antigamente, as pessoas não ficavam na nossa igreja, e havia sempre alguém saindo pela 'porta de trás'. Hoje em dia não é mais assim. As pessoas vêm, são discipuladas, orientadas e amadas, e acabam se integrando à igreja".

Descoberta da intencionalidade relacional em igrejas transformacionais

A intencionalidade relacional traz em si a ideia de algo que é, ao mesmo tempo, *relacional* e *intencional*. Isso significa que as igrejas trasformacionais investem em relacionamentos e fazem isso de maneira planejada, intencional.

As igrejas que buscam ajudar as pessoas a se parecerem com Jesus, que auxiliam as congregações a agir como parte do Corpo de Cristo e que fazem por onde as comunidades espelharem o reino de Deus realizam tudo isso de propósito, isto é, de forma intencional. Elas tomam a iniciativa. Por isso as igrejas transformacionais são consideradas intencionais.

Nas igrejas transformacionais, os programas oferecidos não são o objetivo, mas sim parte intencional de um quadro maior de missão e mudança de vida. As pessoas não são projetos ou peças para ajudar os pastores a fazer a igreja crescer. Elas são intencionalmente amadas e valorizadas como pessoas em uma jornada com Jesus.

O presidente do ministério CoachNet International, Bob Logan, e a teóloga Tara Miller captaram o cerne de um foco relacional e intencional em seu livro *From Followers to Leaders* [De seguidores a líderes]:

> As duas palavras — intencionalidade e relacionamento — são necessárias. Como acontece em muitos diálogos, balançamos de um ponto a outro de um pêndulo. Por um lado, podemos nos tornar tão pragmáticos a ponto de perder de vista as pessoas e os relacionamentos. Por outro, tornamo-nos tão puramente relacionais que não realizamos absolutamente nada. O lugar onde se deve estar não é apenas no meio, mas nas duas pontas: é ser tanto altamente relacional quanto altamente intencional, não desprezando nenhum dos dois em favor do outro.[2]

No que se refere ao aspecto relacional das igrejas transformacionais, nota-se que os relacionamentos nessas congregações não surgem em decorrência de nenhum sistema. Os relacionamentos podem ser intencionais, mas não surgem como resultado de um programa. Você consegue imaginar um cargo como "ministro de relacionamentos"? Nessas congregações, uma abordagem relacional para alcançar e desenvolver pessoas permeia todos os ministérios e práticas, pois os relacionamentos são a substância da cultura da igreja.

O que é essencial para conectar novas pessoas à igreja são os relacionamentos, segundo o pastor Arthur Geraldo, da Primeira Igreja Batista em Rio do Ouro, em Niterói (RJ). "Se alguém chega sozinho à nossa comunidade, alguém da sua faixa de idade se aproxima para construir um relacionamento, convidando-o para um grupo pequeno, bem como coletando os seus números de telefone para posterior contato. Relacionamento para nós é tudo", disse ele em nossa pesquisa. Já o pastor Luiz Valdemar, da Igreja Batista Betel de Santa Maria (RS), tem utilizado a visitação intencional a todos os que visitam a igreja, como maneira de gerar relacionamento:

> Quando cumprimentamos os nossos visitantes, entregamos a eles um *folder* contendo um cartão de boas-vindas. Nesse cartão há uma parte que o visitante pode destacar e deixar na igreja com os seus dados para contato. Pedimos que preencha o cartão, para que possamos orar por ele. No início da semana, telefonamos para as pessoas que foram ao culto e perguntamos se podemos visitá-las. Se elas autorizam, nossos voluntários vão até sua casa e iniciam um relacionamento de amizade. Assim, pouco a pouco elas vão se acostumando e se integrando à nossa igreja.

Nossa pesquisa mostrou que o ato de dar as boas-vindas a uma pessoa durante o culto nas igrejas transformacionais é feito com intencionalidade. Perguntamos aos membros das igrejas classificadas como transformacionais sobre a concordância ou discordância deles em relação a esta declaração: "Existe um plano em ação para garantir que várias pessoas saúdem um visitante que vem à nossa igreja". Setenta e quatro por cento deles concordaram forte ou moderadamente com essa declaração, uma porcentagem elevada.

Essas congregações estão preparadas para trazer pessoas novas para relacionamentos dentro da igreja desde sua primeira visita. A pesquisa detectou que muitas igrejas escalam pessoas para saudar quem chega à sua porta no domingo, mas as igrejas transformacionais fazem isso com muito mais intensidade do que simplesmente garantindo que todo mundo tenha um boletim ao entrar no santuário. As igrejas transformacionais saúdam as pessoas porque querem se conectar com os convidados de maneira relacional, enquanto, na maioria das igrejas, a expectativa normalmente é que a responsabilidade de se conectar com os membros seja do visitante.

É possível ser relacional e, também, intencional

Definir *relacional* e *intencional* como termos complementares é um desafio. Em geral, a pessoa altamente relacional é assim por natureza. É difícil identificar o que torna uma pessoa (ou uma igreja) relacional. Em geral, notamos que as igrejas desejam ser relacionais, mas as igrejas transformacionais simplesmente *são* relacionais, natural e espontaneamente.

Já as pessoas e as igrejas intencionais são mais voltadas às realizações, aos programas e aos processos do que aos indivíduos. São intencionalmente realizadoras, mas relacionalmente pobres. Em outras palavras, as pessoas (ou igrejas) intencionais são comunidades visionárias, que enxergam bem as massas, mas não os indivíduos. Por esse motivo, são tão apaixonadas por tarefas quanto as pessoas relacionais são por relacionamentos. Assim, o realizador intencional vê as pessoas como uma maneira de alcançar um objetivo.

A realidade é que os dois extremos têm um lado obscuro. O do realizador é parecer indiferente; o do relacional é parecer irresponsável. Como comunicador, o realizador intencional é impetuoso e desafiador, e pessoas assim são mais preparadas e deliberadas sobre o que vão dizer. Ele também é rápido em medir os resultados e fazer as correções para o que ainda falta.

Já o comunicador relacional é mais cordial e cativante; por isso, as pessoas tendem a gostar da sua pregação, em geral recheada de histórias pessoais. O comunicador relacional quer ajudar você, enquanto o comunicador intencional quer liderar você. O comunicador relacional ajuda você a se sentir melhor em relação à vida, mas você talvez não seja desafiado a ir além de "sentir-se melhor".

Algumas pessoas são atraídas por ambientes altamente relacionais, pois gostam da alegria e da comunhão. Assim, o ambiente relacional se torna seu melhor espaço para oferecer Cristo aos amigos. Já outras pessoas são atraídas por um ambiente altamente intencional, pois são impulsionadas pela missão e por projetos. Tanto as igrejas de um tipo como as de outro têm um lugar valioso no reino de Deus, mas apresentam limitações para experimentar uma real convergência das práticas transformacionais por causa daquilo que seu ambiente não oferece.

O melhor dos mundos, portanto, seria mesclar esses dois conceitos em uma única igreja. Do mesmo modo que o casamento não é a junção de duas meias pessoas, mas a junção de duas pessoas inteiras, o casamento entre o relacional e o intencional produzirá pessoas transformadas que encherão as igrejas transformacionais. Nesse tipo de ambiente, não há uma polarização entre ser intencional ou relacional, mas verifica-se a ocorrência da intencionalidade relacional, que é a perfeita fusão dos dois conceitos.

Como são os ambientes de intencionalidade relacional? Quais princípios são transferíveis independentemente de fatores como tamanho, localização e denominação? É o que veremos a seguir.

Ambientes de intencionalidade relacional produzem família

A linguagem da família é comum no Novo Testamento. O desafio é construir uma família bíblica sem criar um grupo fechado. Contudo, a construção de família, ou de comunhão, é um ingrediente crítico da igreja com intencionalidade relacional. Na cultura atual, a imagem da família representa dor e desapontamento na vida de muitas pessoas, ao passo que a família de Deus pode se tornar um lugar de esperança e cura. A igreja local deve fornecer amor incondicional e ambientes de nutrição que as pessoas nunca experimentaram.

Um foco intenso das igrejas transformacionais é fazer discípulos. Essa tarefa exige que pessoas se importem umas com as outras enquanto o fazem, e as igrejas transformacionais têm descoberto que as pessoas perdidas têm fome de relacionamentos mais profundos. Quando tais pessoas testemunham relacionamentos profundos na igreja local, abre-se um caminho mais claro para o entendimento do evangelho.

O pastor americano Tim Keller, fundador da Redeemer Presbyterian Church, em Nova York (EUA), tem vivido a igreja em uma cultura diversificada e desordenada. Além de sua própria congregação, que fundou em 1989, ele está envolvendo cidades por meio de esforços de plantação de comunidades eclesiásticas no mundo inteiro. Keller descreveu a natureza comunal da salvação, que ele considera um elemento fundamental para a maturidade espiritual:

> Vivemos numa cultura na qual os interesses e os desejos do indivíduo assumem precedência sobre os da família, do grupo ou da comunidade. Como resultado, uma alta porcentagem de pessoas quer alcançar o crescimento espiritual sem perder sua independência para uma igreja ou para qualquer instituição organizada [...]. Não há como ser capaz de crescer espiritualmente longe de um envolvimento profundo em uma comunidade de outros crentes. Você não consegue viver a vida cristã sem um grupo de amigos cristãos, sem uma família de crentes na qual você encontra um lugar.[3]

Jesus tratou os relacionamentos com ternura e afeição profundas. Ele lidou honestamente com os discípulos, a quem ele amou profundamente, desenvolvendo proximidade e intimidade ao mesmo tempo que aplicava repreensão e correção. As Escrituras descrevem a visão que Jesus tinha da igreja como algo assemelhado à família.

> Deus, para quem e por meio de quem todas as coisas foram criadas, escolheu levar muitos filhos à glória. E era apropriado que, por meio do sofrimento de Jesus, ele o tornasse o líder perfeito para conduzi-los à salvação. Assim, tanto o que santifica como os que são

> santificados procedem de um só. Por isso Jesus não se envergonha de chamá-los irmãos, quando diz: "Proclamarei teu nome a meus irmãos; no meio de teu povo reunido te louvarei".
>
> Hebreus 2.10-12

Paulo plantou igrejas em diversos pontos do Império Romano e as via — e aos crentes novos — como família. O apóstolo tinha um vínculo familiar particular com aqueles a quem amava tão profundamente, a ponto de usar a palavra "irmão" mais de 120 vezes ao descrever cristãos e "irmã" em cinco ocasiões em suas cartas. Ele se considerava o pai espiritual daqueles que havia evangelizado e mentoreado na fé cristã, o que o levou a ser transparente em relação às alegrias e ao desconforto de exercer esse papel:

> Não escrevo estas coisas para envergonhá-los, mas para adverti-los como meus filhos amados. Pois, ainda que tivessem dez mil mestres em Cristo, vocês não têm muitos pais, pois eu me tornei seu pai espiritual em Cristo Jesus por meio das boas-novas que lhes anunciei.
>
> 1Coríntios 4.14-15

> Agora irei visitá-los pela terceira vez e não serei um peso para vocês. Não quero seus bens; quero vocês. Afinal, os filhos não ajuntam riquezas para os pais. Ao contrário, são os pais que ajuntam riquezas para os filhos. Por vocês, de boa vontade me desgastarei e gastarei tudo que tenho, embora pareça que, quanto mais eu os ame, menos vocês me amam.
>
> 2Coríntios 12.14-15

> Ó meus filhos queridos, sinto como se estivesse passando outra vez pelas dores de parto por sua causa, e elas continuarão até que Cristo seja plenamente desenvolvido em vocês.
>
> Gálatas 4.19

As igrejas transformacionais sentem-se confortáveis por viver em comunhão. Seus membros abrem bastante espaço para que recém-chegados experimentem os benefícios e as responsabilidades de ser família.

Ambientes de intencionalidade relacional estimulam relacionamentos individuais

Reuniões maiores ou menores nunca proverão tudo o que é necessário para a transformação real. O que os grupos iniciam por meio de ensino, adoração e encorajamento Deus completa em conversas individuais. Jesus costumava pregar para grandes multidões, mas os diálogos mais tocantes que ele teve com indivíduos aconteceram em situações informais e, aparentemente, não planejadas. O Senhor desafiou pessoas como o jovem rico, abençoou Pedro por causa da maneira como este o enxergava, convidou pessoas para que tivessem um relacionamento com ele e confortou gente como Marta e Maria.

As palavras de Jesus para cada indivíduo não foram as mesmas, pois cada pessoa estava em um ponto específico da jornada espiritual e enfrentava circunstâncias distintas. Do mesmo modo, em razão da constituição singular e do passado individual único, as pessoas reagiam de maneira diferente a certas abordagens. Não existe uma realidade única para todos, muito menos no discipulado. Se insistirmos em discipular apenas em grandes grupos, perderemos a maioria de nossa audiência. O relacional e o intencional incluem pequenos grupos e relacionamentos informais.

Ambientes de intencionalidade relacional fornecem espaço para pessoas difíceis

As igrejas, infelizmente, não costumam ter espaço para cuidar de alcoólatras, mães solteiras e crianças com deficiência. Um casal que está pensando em se divorciar, um sem-teto ou um jovem que enfrenta dificuldades com o vício em analgésicos não têm ambiente para se conectar. Isso ocorre porque nós, seres humanos, nos sentimos mais seguros perto de pessoas que são pelo menos tão saudáveis quanto nós. Deus não nos deu a opção de empurrar para longe os feridos.

Eu, Ed, me recordo de uma camiseta cuja estampa bem-humorada me remete a uma questão crucial no ambiente de nossas igrejas: "Jesus ama você, mas eu sou o favorito dele". Na verdade, Jesus não tem favoritos; ele ama a todos com amor abundante e eterno. Já nós de fato temos favoritos, e normalmente eles são pessoas como nós. O problema é que a Bíblia aponta a incompatibilidade entre fé e favoritismo: "Meus irmãos, como podem afirmar que têm fé em nosso glorioso Senhor Jesus Cristo se mostram favorecimento a algumas pessoas?" (Tg 2.1). O princípio é claro. Nossa natureza pecaminosa pode nos tentar a sermos orgulhosos e felizes quando certos tipos de pessoas aparecem em nossas igrejas, e essa mesma natureza pode nos levar a sentir desconforto e embaraço quando aparecerem pessoas de outro tipo.

Tiago desafiou os cristãos a envolverem pessoas que estão nas margens da vida: "A religião pura e verdadeira aos olhos de Deus, o Pai, é esta: cuidar dos órfãos e das viúvas em suas dificuldades e não se deixar corromper pelo mundo" (Tg 1.27). Não há dúvida de que todo membro de uma igreja deve estar disposto a ministrar, porque, quando Deus de fato se move, pessoas feridas, proscritas e marginalizadas aparecem — e precisam de compaixão.

As igrejas transformacionais tomaram a decisão de receber os indivíduos difíceis que aparecem em suas reuniões e desejam tomar parte em sua vida. Elas também descobriram que dar boas-vindas ao ferido é uma bênção, e não uma maldição. Por isso, tomaram a decisão de cuidar deles, motivadas pelo desejo de que se tornem filhos e filhas de Deus.

Ambientes de intencionalidade relacional dispõem de sistemas e processos

Sistemas e processos tornam os relacionamentos intencionais numa igreja local. Os relacionamentos não são determinados por programas, mas estes podem e devem ser conduzidos pelos relacionamentos. Não queremos substituir relacionamentos naturais por programas, mas podemos promover relacionamentos por intermédio deles.

Infelizmente, o abuso de programas é comum em muitas igrejas locais. Para evitar isso, as igrejas transformacionais se certificam de que seus programas deem combustível aos propósitos de Deus, além de não permitirem que substituam os relacionamentos. Quando substituem relacionamentos, os programas se tornam atividade religiosa alienante e morta. Os evangelistas do passado costumavam dizer realidades como: "Ir à igreja não faz de você um cristão, assim como entrar na garagem não faz de você um automóvel", e "Ir a um programa não faz de você um discípulo, assim como ir a uma tapiocaria não faz de você uma tapioca". Comparecer a cultos todo domingo, pela manhã e à noite, e frequentar um estudo bíblico no meio da semana não transformarão uma pessoa em um discípulo maduro. Fundamentais para que isso ocorra são os relacionamentos na igreja.

Relacionamentos intencionais preenchem os buracos pelos quais normalmente vemos as pessoas caírem em pecado nas igrejas locais. Os sistemas e os processos devem fornecer um fluxo contínuo de relacionamentos intencionais para dar vida e fruto aos propósitos bíblicos progressivos.

A General Motors tem uma fábrica de veículos na cidade de Bowling Green (EUA). Os visitantes são convidados a fazer uma excursão pelas instalações e, uma vez lá dentro, eles seguem por um caminho pintado no chão, vendo os veículos serem montados quase peça por peça. Tudo começa com o chassi e termina com a instalação do volante. Depois de uma breve bateria de testes, a porta dos fundos se abre e por ali sai um belo Corvette. Posicionados junto à porta, os visitantes não veem nenhum outro tipo de veículo sair, exclusivamente Corvettes. Isso ocorre porque os responsáveis por essa linha de montagem sabem exatamente o que querem produzir e implementam os sistemas e processos necessários para produzir aquele carro.

De igual modo, se você é líder de uma igreja, será que sabe o que deseja "produzir" e dispõe dos sistemas e processos adequados e bem estruturados? A maioria dos líderes eclesiásticos afirma que seu objetivo é o desenvolvimento de discípulos. Nesse caso, o líder precisa ter respostas muito claras em sua mente para perguntas como: "Se a nossa igreja fosse uma fábrica, o que ela estaria produzindo?"; "O que haveria ao longo da linha de montagem para ajudar a produzir o tipo de pessoa que Deus deseja?"; "Como podemos dizer que estamos fazendo um bom trabalho?" e "Qual será a aparência desejada para um discípulo completo (não perfeito)?".

Nossa pesquisa mostrou que, nas igrejas transformacionais, 76% dos membros concordaram forte ou moderadamente com a afirmação: "Nossa igreja está constantemente nos desafiando a dar os próximos passos no processo de discipulado" e 85% dos membros concordaram forte ou moderadamente com: "Se alguém desejar servir em um ministério da nossa igreja, existe um processo claro e fácil para começar a servir". Essas são porcentagens elevadas e significativas.

Os pequenos grupos podem ser um sistema ao longo da linha de montagem. Dentro do sistema existe uma maneira de fazer as coisas — regras, princípios e práticas dos pequenos grupos, planos para aumentar a capacidade e assim por diante. Mas as igrejas transformacionais sabem que o propósito dos pequenos grupos é ajudar as pessoas ao longo do caminho ou do processo do discipulado e, por isso, agem de acordo. Esses grupos podem ser o sistema principal no processo de discipulado, mas raramente são o único. Um exemplo das Escrituras pode trazer luz ao papel dos sistemas e dos processos na igreja local:

> Por isso, os Doze convocaram uma reunião com todos os discípulos e disseram: "Nós, apóstolos, devemos nos dedicar ao ensino da palavra de Deus, e não à distribuição de alimentos. Sendo assim, irmãos, escolham sete homens respeitados, cheios do Espírito e de

sabedoria, e nós os encarregaremos desse serviço. Então nós nos dedicaremos à oração e ao ensino da palavra".

Atos 6.2-4

Não estamos sugerindo que essa passagem seja a prova bíblica da defesa da ideia dos sistemas. Os sistemas (e os processos) postos em prática na Igreja primitiva não surgiram depois que os líderes participaram de um seminário secular de negócios, mas exemplificam como Deus constrói uma igreja transformacional. Essa passagem deixa claro que o propósito da liderança da igreja era evangelizar por meio da pregação, alicerçado na oração. O discipulado era também apoiado pelo ministério de pregação e de oração dos líderes locais. Grupos menores criavam a ambiência para o ensino, a comunhão e a oração. O resultado desse processo foi: grupo grande, grupo pequeno, ensino e disciplinas espirituais — e tudo isso produzido por discípulos que se multiplicavam. As coisas estavam saindo de acordo com o plano de Deus.

Mas Atos 6.2-4 expõe um obstáculo no processo de desenvolvimento de discípulos: membros descontentes — viúvas de fala grega — sentiram que estavam recebendo um tratamento injusto. Os apóstolos não tiveram uma atitude do tipo "Quem se importa? Estamos fazendo algo mais importante"; em vez disso, atenderam à necessidade percebida ao criar um sistema de distribuição que garantia o cuidado adequado com todas as viúvas. Eles puseram em ação uma iniciativa relacional e intencional, na esperança de que o problema nunca viesse a acontecer de novo. E o sistema funcionou! As viúvas eram importantes demais para serem negligenciadas, bem como o trabalho de oração e pregação.

A intencionalidade conduzida pelo Espírito Santo produziu relacionamentos mais fortes e discípulos produtivos. Novos líderes servos receberam poder e foram enviados para cuidar das viúvas. O processo de criação de discípulos gerou mais resultados: "Assim, a mensagem de Deus continuou a se espalhar. O número de discípulos se multiplicava em Jerusalém, e muitos sacerdotes também se converteram" (At 6.7).

O coletivismo da cultura brasileira como facilitador de relacionamentos

Um importante construto social que influencia a maneira como as sociedades e organizações vivem é o seu nível de individualismo. Há sociedades nas quais o interesse dos grupos prevalece sobre os dos indivíduos e, por essa razão, elas são chamadas de *coletivistas*. Por outro lado, boa parte da população mundial vive em sociedades *individualistas*, onde o interesse pessoal é mais importante do que o interesse do grupo.[4] Desse modo, o "eu" ou o "nós" definem a autoimagem das pessoas em sociedades individualistas ou coletivistas, respectivamente.

Os números não mentem, e um dos exemplos mais marcantes do sucesso dos relacionamentos intencionais no crescimento das igrejas aconteceu na Coreia do Sul, um dos países mais coletivistas do mundo, mediante a adoção das células — grupos menores de pessoas que se reúnem nos lares. A ideia foi plenamente desenvolvida em igrejas como a Yiodo Full Gospel Church, liderada pelo pastor David Yonggi Cho. É interessante destacar que o movimento celular invadiu a América Latina, nos anos 1990, por meio do chamado Movimento G12. Essa iniciativa surgiu de uma adaptação do modelo de Cho feita pelo pastor César Castellanos na Colômbia, país ainda mais coletivista do que a Coreia do Sul.

Em contrapartida, embora vários pesquisadores americanos tenham ido até a Coreia do Sul para estudar o modelo e levá-lo para os Estados Unidos, como Carl George e Ralph Neighbour, o traço individualista da cultura dos Estados Unidos tem sido um grande obstáculo para o desenvolvimento de relacionamentos profundos por meio de grupos menores. Randy Frazee, estudioso da vida comunitária no âmbito das igrejas americanas, utilizou um exemplo para descrecer a superficialidade dos relacionamentos dos cristãos dos Estados Unidos, mesmo que participem fisicamente de grupos pequenos ou células:

> Bob e Karen juntaram-se a um grupo pequeno de uma certa igreja, esperando se conectar em comunidade, mas isso não funcionou para eles. Por que não? Como muitos de nós, os Johnsons trouxeram para a experiência do grupo o seu conjunto de ideias individualistas. Em razão dos seus desejos, suas expectativas e seus interesses serem baseados em seu pensamento individualista, simplesmente juntar-se a um grupo não resolve a raiz do problema, mas contribui para fortalecer a raiz do problema, porque o grupo pequeno em si mesmo não passa de uma comunidade disfuncional e individualista.[5]

Uma pesquisa realizada por Hofstede mostrou que, dentre as 53 nações analisadas, os Estados Unidos são a mais individualista do mundo, com um índice de 91, enquanto a Coreia do Sul é um país altamente coletivista, com nota 18, a Colômbia é ainda mais, com 13. O Brasil também foi classificado como coletivista, com um índice de apenas 38.[6]

De acordo com Jon S. Vincent, professor de português da Universidade do Kansas (EUA) e autor do livro *Culture and Customs of Brazil* [Cultura e costumes do Brasil], em uma tradução livre), enquanto os americanos celebram seu individualismo, sua autossuficiência e sua solidão, os brasileiros tendem a valorizar a cooperação, a interdependência e a conexão com os outros.[7] Assim, em sociedades coletivistas como o Brasil, os indivíduos são normalmente integrados em grupos fortemente coesos, o *self* é visto como interdependente em relação às outras pessoas do grupo e as estruturas familiares são muito fortes e valorizadas.[8]

Diante dessa constatação, cabe a pergunta: será que as pessoas que frequentam igrejas em sociedades coletivistas como o Brasil são mais abertas e prontas para se engajar em relacionamentos mais profundos e duradouros por meio de classes de escola bíblica, grupos pequenos ou equipes de ministério? A conclusão a que chegamos é que as igrejas brasileiras, por estarem plantadas em uma sociedade de perfil coletivista, podem utilizar esse facilitador cultural para promover relacionamentos íntegros entre as pessoas, visando a promover a coesão entre elas e abrir oportunidades para a missão.

Não negamos que muitas metolodologias utilizadas hoje nas igrejas brasileiras parecem conter problemas teológicos sérios que são comumente apontados por grupos mais conservadores, inclusive no que se refere à presença de modelos de discipulado autoritários e dominadores, talvez facilitados pelo alto índice de distância de poder que existe no Brasil, como vimos no capítulo anterior. Entretanto, tendo em vista que o princípio dos relacionamentos intencionais é bíblico, as igrejas brasileiras, especialmente algumas das chamadas "históricas", como a Congregacional e a Presbiteriana — que, segundo os últimos censos, diminuíram de tamanho entre 2000 e 2010 —, poderiam seguir o exemplo das igrejas transformacionais, de maneira que aquelas que se encontram estagnadas possam sair desse estado, mediante o aproveitamento dessa característica tão especial da cultura brasileira que é o seu alto índice de coletivismo, o que facilita a promoção do discipulado cristão por meio de grupos pequenos.

Os últimos censos também demonstram que as igrejas surgidas no Brasil, como as Assembleias de Deus, parecem compreender melhor as dinâmicas culturais do país e têm se utilizado sabiamente desse conhecimento para a aplicação das verdades eternas das Escrituras aos seus contextos, o que tem produzido crescimento numérico. Já denominações plantadas por igrejas oriundas de países do hemisfério norte, especialmente dos Estados Unidos e da Europa, têm sido geralmente formatadas pela cultura dos países que enviaram os missionários, em vez de serem ativas na adaptação cultural de suas metodologias às realidades brasileiras.

O fato é que os relacionamentos intencionais são o cerne do evangelho. Perceba o ambiente receptivo em torno de Cristo: "Cobradores de impostos e outros pecadores vinham ouvir Jesus ensinar. Os fariseus e mestres da lei o criticavam, dizendo: 'Ele se reúne com pecadores e até come com eles!'" (Lc 15.1-2).

Além disso, Jesus treinou líderes convivendo, conversando e trabalhando com eles, e não em frente a um quadro negro, dando uma aula — embora o púlpito e a sala de aula tenham o seu digno e importante lugar no ensino da verdade bíblica.

As igrejas transformacionais, tanto nos Estados Unidos quanto no Brasil, determinaram que os relacionamentos são essenciais para a missão da Igreja. A missão não é uma "coisa", mas um relacionamento com outra pessoa que ainda não encontrou Jesus. Paulo mencionou a essência da intencionalidade relacional quando descreveu os cristãos de Corinto:

> Vocês mesmos são nossa carta, escrita em nosso coração, para ser conhecida e lida por todos! Sem dúvida, vocês são uma carta de Cristo, que mostra os resultados de nosso trabalho em seu meio, escrita não com pena e tinta, mas com o Espírito do Deus vivo, e gravada não em tábuas de pedra, mas em corações humanos.
>
> 2Coríntios 3.2-3

O sistema escolhido por Deus para a entrega do evangelho são relacionamentos com pessoas que foram alcançadas pela graça. As igrejas transformacionais usam os relacionamentos e o fazem intencionalmente porque eles são a plataforma por meio da qual indivíduos encontram e seguem Jesus.

Cultivando a intencionalidade relacional na sua igreja

Quais são os desafios dentro do ambiente da sua igreja para cultivar relacionamentos e como enfrentá-los? Quais são os desafios dentro do ambiente da sua igreja para a intencionalidade e como enfrentá-los? Responder a essas perguntas é fundamental para poder fazer a sua igreja viver a intencionalidade relacional.

A cultura local pode ser um desafio para o cultivo de relacionamentos na sua igreja. Por natureza, as pessoas da sua área podem ser mais reservadas ou cautelosas. Outro desafio pode ser o dos relacionamentos atuais que as pessoas possam estar gerenciando. Se, por exemplo, a maioria dos membros da sua igreja estiver vivendo nas áreas em que nasceu e foi criada, ela mantém relacionamentos com a família imediata e a família estendida, que consomem seu tempo. Se um grande número de frequentadores atuais da igreja estiver envolvido em sua igreja há muito tempo, esses relacionamentos ocupam o espaço de relacionamentos novos. Trabalho, clima e recreação são questões mais ou menos sérias em várias comunidades. Tudo isso será um desafio para os relacionamentos.

Um fator crítico na transição de sua igreja para um caminho transformacional é ensinar os membros a criar espaço para os relacionamentos. Descobrimos em nossa pesquisa que 84% dos membros das igrejas transformacionais concordaram forte ou moderadamente com a seguinte declaração: "Novos membros e frequentadores são imediatamente ensinados sobre a importância de viverem em comunidade com outros cristãos". Esse é um índice muito elevado. Além disso, 85% dos membros das igrejas transformacionais concordaram forte ou moderadamente que "existe um claro caminho para as pessoas se envolverem em um grupo pequeno de cristãos".

Líderes e membros das igrejas transformacionais sabem que é crucial levar os novos frequentadores a relacionamentos significativos com membros da igreja. Sem levar em conta quão "simples" a estrutura e os processos da sua igreja possam ser, todos os líderes terão de fazer sacrifícios com o propósito de criar espaço em sua vida para viver relacionamentos íntegros em pequenos grupos. As igrejas transformacionais têm feito esse sacrifício por vontade própria.

Um pré-requisito para ensinar *como* criar espaço relacional é ensinar *por quê*. De forma alguma as pessoas devem ser constrangidas ou manipuladas para que abram mais espaço; muito pelo contrário, um nível alto de compromisso e convicção naturalmente produz mudanças significativas nesse sentido. Apresentar técnicas de gerenciamento de tempo ajuda. Conte histórias sobre seus esforços relacionais e os de outros. Permita que as pessoas encorajem umas às outras à medida que fazem a transição. Relembre a elas que, se Deus as está levando a abrir mais espaço para relacionamentos, então algumas coisas terão de ser eliminadas de sua rotina.

As igrejas transformacionais "discernem" o seu contexto e "abraçam" três valores-chave. Já analisamos dois deles: liderança vibrante e intencionalidade relacional. No próximo capítulo, discutiremos o terceiro valor-chave: a *ênfase na oração*. Embora o tenhamos situado em terceiro lugar na lista, pode muito bem ser o mais importante. Com o foco na oração, reconhecemos a verdadeira fonte de transformação. Por isso, é vital que você leia o próximo capítulo com bastante atenção, pois seu conteúdo pode ser a chave para dar início à transformação em sua igreja.

6

Ênfase na oração

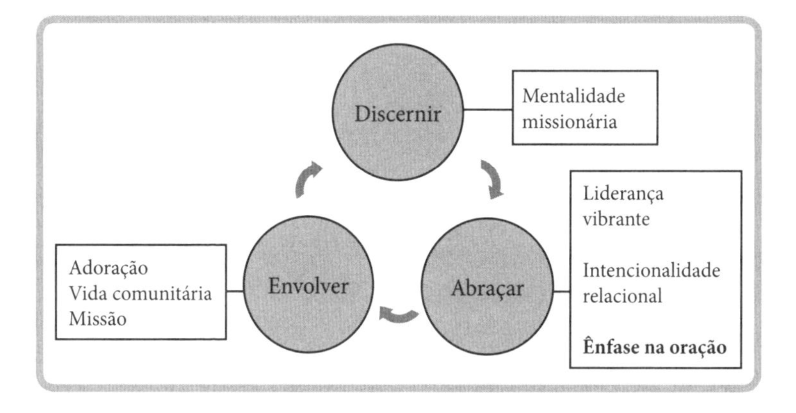

A ênfase na oração é evidente nas igrejas transformacionais, que demonstram depender humildemente de Deus para ter vitalidade. Nelas, a oração não é um programa e não é praticada apenas em uma reunião semanal específica. Essa prática está por trás de tudo o que a igreja transformacional faz; é ela que sustenta a adoração e dá combustível ao envolvimento missional, além de estar sempre presente na comunhão, isto é, nos relacionamentos entre os membros.

A oração sempre teve um papel significativo na Igreja, especialmente em períodos de revitalização ou reavivamento. O pastor e escritor britânico Iain Murray escreveu:

> O que acontece em reavivamentos não deve ser visto como algo miraculosamente diferente da experiência regular da igreja. A diferença reside em grau, e não em tipo. Em um derramamento do Espírito, a influência espiritual é disseminada, as convicções são mais profundas e os sentimentos são mais intensos. Mas tudo isso é apenas um destaque do cristianismo normal.[1]

A oração não é algo que aparece de repente em uma igreja porque ela começa a mostrar práticas transformacionais. A vasta maioria das congregações que pesquisamos valorizava a oração. Mas o nível, o tipo e a expectativa em relação à oração nas igrejas transformacionais eram diferentes. Tal como Murray observou acerca da experiência na igreja, a oração nas igrejas transformacionais é mais intensa e frequente.

A intenção de Deus é que os cristãos — tanto individual quanto coletivamente — permaneçam em comunicação estreita com ele. Essa é a razão pela qual Deus nos deu a oração. Definiríamos a oração simplesmente como uma resposta volitiva de uma pessoa para ouvir e falar com o Senhor sobre sua obra e seu caráter. Para que se possa ver a transformação ocorrer em uma pessoa, uma igreja ou uma comunidade, Deus deve estar envolvido. Ele precisa ser convidado a fazer parte da história. A oração é nosso elo para receber compreensão de Deus sobre sua Palavra e seguir adiante em obediência à sua missão.

O que dizem os líderes transformacionais

"A igreja de Atos entendeu a importância da oração e desde o seu início a teve como estilo de vida. Ao seguirem a orientação de Jesus de retornarem a Jerusalém e aguardarem a promessa do Pai, os discípulos perseveraram em oração. Orar foi o primeiro movimento dos discípulos após receberem a Grande Comissão. Em Atos 1.14, nós encontramos a igreja buscando intensamente a presença do Senhor. Os resultados foram fantásticos! Sem oração nada acontece."[2]

Fernando Brandão, pastor e diretor executivo da Junta de Missões Nacionais da Convenção Batista Brasileira

Conduzir uma pesquisa sobre oração é difícil. Primeiro, somos confrontados com a medição de "eficácia" ou "sucesso" da oração como uma atividade. Falando com bastante franqueza, relutamos em tentar fazer essa medição. A oração é uma resposta à obra de Deus, em vez de uma alavanca para fazer o Senhor agir. Portanto, enquanto fazíamos as perguntas da pesquisa, fomos confrontados com respostas mais qualitativas (experienciais) do que medidas quantitativas (numéricas).

As igrejas transformacionais responderam que a oração é uma atividade corriqueira ali. Outras igrejas mostraram um pendor por reuniões de oração organizadas que apresentavam um comparecimento baixo. Perguntamos, por exemplo, sobre a concordância ou a discordância com esta declaração: "Momentos de oração espontânea em cultos de adoração, nas aulas ou nos grupos pequenos são normais na vida de nossa igreja", e 67% das igrejas concordaram forte ou moderadamente com ela. Por meio das histórias e das pesquisas, descobrimos que a oração numa igreja transformacional acontece naturalmente dentro da comunidade. Ela é feita com expectativa, em vez de ser motivada por um comportamento repetitivo.

A Igreja Batista Memorial em Serra Negra (SP) experimenta momentos de oração várias vezes durante os cultos. O pastor Charles Santos fez a seguinte declaração:

> Na verdade, nós oramos muitas vezes durante o culto. Nós começamos orando, oramos para agradecer pelos dízimos e ofertas, temos oração de intercessão pela igreja e suas famílias, oramos pelas crianças antes de elas irem para as salinhas, oramos pelo sermão, depois do sermão e no fim do culto; sem mencionar que também encorajamos os irmãos a orar em casa e em todo tempo, pois a nossa comunidade tem se dado conta da importância vital da oração, uma vez que, sem ela, não podemos fazer nada.

De fato, a atividade de oração é central no culto de adoração de uma igreja transformacional. Nesses lugares, os membros sabem que a oração é a prática regular, e não uma interrupção da norma. Por meio da oração, eles creem que Deus transformará vidas.

Outra descoberta sobre oração nas igrejas transformacionais é sua ligação com o serviço. Do total de entrevistados, 79% concordaram forte ou moderadamente com a afirmação: "Aqueles que servem em nossa igreja passam tempo em oração antes de servirem juntos".

As igrejas transformacionais estão intensamente preocupadas em testemunhar mudança de vida, mas, com essa finalidade, elas se recusam a confiar na engenhosidade humana. Muitas das igrejas que identificamos como transformacionais são líderes em ministério inovador e contextualizado, mas sabem que apenas com o mover de Deus entre elas é que as transformações individuais e da sociedade vão acontecer.

Um enredo comum nessas igrejas é mais ou menos assim: fulano coordena a recepção na igreja e, nos dias que antecedem o domingo, ele liga para todos os voluntários da recepção e pede que cheguem alguns minutos mais cedo. Quando isso acontece, eles sabem que estão chegando para orar. Como sabem disso? Porque sempre oram antes de as pessoas começarem a chegar para o culto e para o estudo bíblico. Por que eles fazem isso? Na esperança de que a presença de Deus, sua obra e seu poder redentor venham a ser palpáveis a todos que entrarem pelas portas do templo. Os voluntários oram uns pelos outros, para que sejam cheios do Espírito de Deus e para que os ministérios da igreja tenham influência para além da reunião dominical da igreja. E é digno de nota que eles se reúnem para orar sem que haja um pedido formal dos pastores, dos presbíteros ou da diretoria, mas simplesmente porque faz parte da sequência natural das coisas na igreja deles.

Passamos bastante tempo falando para igrejas por todo o Brasil e descobrimos uma triste realidade. Muitas delas confiam em si próprias, e não em seu Salvador. Por outro lado, as igrejas transformacionais oram antes de servir porque querem que Deus opere por meio delas, nunca apesar delas. Tais congregações confiam em Deus, em vez de se fiar naquilo que possuem.

Outra forma de avaliar a oração é levantar com que frequência outras pessoas a veem acontecer. Dos entrevistados, 71% concordaram forte ou moderadamente com a afirmação: "Ver pessoas orando juntas é algo normal em nossa igreja", e essa concordância ocorre porque seus membros têm visto a oração gerar transformação. Talvez essa seja a descoberta da pesquisa que melhor demonstra a diferença entre as igrejas transformacionais e as demais no que se refere à oração.

O que deixa Jesus irado?

Para algumas pessoas, a imagem de um Jesus irado é desconfortável. À luz da santidade de Deus e da compaixão de Cristo, podemos ter certeza de que o céu se importa com os detalhes na terra, pois o Senhor não é passivo ou suave. Quando as pessoas sofrem ou pecam, o céu se aflige. Jesus demonstrou muitas emoções em sua vida terrena: chorou por Jerusalém e diante do túmulo de Lázaro (cf. Lc 19.41; Jo 11.35), sentiu compaixão por pessoas perturbadas e desesperadas (cf. Mt 9.36) e, em pelo menos duas ocasiões, mostrou ira, como veremos em detalhes mais à frente.

O que podemos aprender das Escrituras sobre a ira de Jesus? Se você conhece um pouco sobre o Senhor, pode presumir o que o deixaria irado. Pessoas que passam outras para trás por causa de dinheiro seriam uma possibilidade bem forte. Certamente, prostitutas e outros sexualmente imorais faziam o sangue de Jesus ferver. Contudo, não temos registro de outra coisa senão amor, esperança e perdão quando ele entrou em contato com uma mulher pega em adultério ou outra, com um histórico de relacionamentos imorais, que ele conheceu junto a um poço. Um olhar mais detalhado sobre os dois episódios de ira de Cristo apresentados na Bíblia lança luz sobre o que deixa Jesus irado.

Primeiro, a ira de Jesus é direcionada a pessoas religiosas. A sabedoria convencional presumiria que as tais estariam entre as favoritas de Jesus; afinal, elas parecem ser a força vital do movimento espiritual. Os religiosos pensam e falam muito sobre Deus, promovem uma grande quantidade de reuniões públicas em honra ao Senhor, doam para a obra de Deus e são rápidos em defender aquilo que pensam ser o maior interesse do Criador. A operação religiosa como um todo deve funcionar bem, contanto que haja uma boa quantidade de pessoas religiosas para manter a máquina funcionando, certo? Porém, o que vemos com frequência nas Escrituras é um posicionamento direto e aberto de Jesus sobre o comportamento inadequado das pessoas religiosas. Em pelo menos duas vezes, esse mau comportamento provocou a ira de Jesus.

No evangelho de Marcos, Jesus encontrou no templo um homem que tinha uma das mãos deformada. A história conta como o Mestre respondeu: "Jesus olhou para os que estavam ao seu redor, irado e muito triste pelo coração endurecido deles. Então disse ao homem: 'Estenda a mão'. O homem estendeu a mão, e ela foi restaurada" (Mc 3.5). Jesus ficou irado diante do coração duro dos religiosos e triste pela falta de compaixão deles.

O segundo episódio de ira é contado nos quatro evangelhos. Todos esses relatos confirmam as expressões de ira vindas de Jesus. O relato de Mateus é um exemplo:

> Então Jesus entrou no templo e começou a expulsar todos que ali estavam comprando e vendendo animais para os sacrifícios. Derrubou as mesas dos cambistas e as cadeiras dos que vendiam pombas, dizendo: "As Escrituras declaram: 'Meu templo será chamado casa de oração', mas vocês o transformaram num esconderijo de ladrões!".
>
> Mateus 21.12-13

O evangelho de João adiciona a palavra "zelo" para descrever a resposta do Senhor, termo que significa "ferocidade de indignação" ou "fervor de espírito".

> Jesus fez um chicote de cordas e os expulsou a todos do templo. Pôs para fora as ovelhas e os bois, espalhou as moedas dos negociantes no chão e virou as mesas. Depois, foi até aqueles que vendiam pombas e lhes disse: "Tirem essas coisas daqui! Parem de fazer da casa de meu Pai um mercado!". Então os discípulos se lembraram desta profecia das Escrituras: "O zelo pela casa de Deus me consumirá".
>
> João 2.15-17

Diante desse fato, podemos dizer que Jesus perdeu o controle? Certamente, não. A Bíblia ensina que a ira e o pecado não são necessariamente a mesma coisa. A ira pode cruzar um limite, como acontece na maior parte das vezes conosco, e, então, se torna pecado. Paulo foi claro em sua carta aos Efésios: "E 'não pequem ao permitir que a ira os controle'. Acalmem a ira antes que o sol se ponha, pois ela cria oportunidades para o diabo" (Ef 4.26-27).

O episódio no templo mostra que Jesus fica irado quando usamos sua reunião para qualquer outra coisa que não seja o seu propósito. Ele fica especialmente irado quando a oração é substituída por atividades terrenas, pois Jesus espera que seu povo pratique a oração e encoraje outros a fazerem o mesmo.

Se a visão que você tem para as pessoas é de transformação pessoal, isso será visto na prática da oração. Estratégias, excelência, métodos ou até mesmo compromisso não podem substituir a dependência humilde de Deus. Se a nossa motivação for crescimento numérico, então não há uma razão verdadeira para orar. Os princípios de expansão organizacional produzirão resultados relativos à sua comunidade ou seu "mercado". Trabalho em equipe, comunicação, habilidades pessoais e controle de qualidade produzirão resultados, mas nenhuma dessas coisas terá efeitos substantivos vindos do Senhor na vida das pessoas.

O crescimento da organização em nome de Deus não salvará um casamento. Crescimento organizacional não libertará pessoas de hábitos capazes de destruir a vida, pois a transformação é obra de Deus. Não podemos confiar em nós mesmos e ver transformação. É impossível para nós gerar mudança de vida nos outros. O templo estava cheio de pessoas e de atividade; contudo, Jesus ficou irado com o que viu: pessoas que não estavam envolvidas em um relacionamento com o Pai.

O pastor Fernando Brandão, da Junta de Missões Nacionais da Convenção Batista Brasileira, tem feito um maravilhoso trabalho de conscientização para fins de cumprimento da missão no Brasil. Ao tratar da nossa falta de dependência de Deus, ele diz:

> É impossível um homem realizar a obra de Deus sem buscar o Deus da obra. A oração dará vida ao líder na realização do seu ministério. Quando pomos em segundo plano esse relacionamento, não conseguimos ter êxito de maneira completa. Precisamos buscar constantemente a presença do Senhor para que conheçamos a vontade de Deus e a coloquemos em prática em nosso dia a dia, individualmente, em família e comunidade.[3]

As prioridades de oração de Cristo

Ao abraçarmos a vida com Jesus, abraçamos junto as suas prioridades. Ao abraçarmos suas prioridades, elas se tornarão nossas práticas. Jesus demonstrou sua paixão pelas prioridades corretas em sua assembleia local. Duas prioridades de Jesus são claramente violadas na cena no templo, como veremos a seguir.

O uso correto da casa de Deus

Quando os cristãos se reúnem, eles devem orar. Seja qual for o modelo ou a idade da igreja, a oração é um item inegociável. A Igreja primitiva incluía a oração em sua rotina diária (cf. At 2.42), fosse em grupo ou individualmente. Os convites e as oportunidades para orar devem acontecer tanto em grupos menores como na grande assembleia. Nada é mais importante do que o povo de Deus orar.

As igrejas transformacionais veem a oração como uma parte muito importante na mudança da comunidade. Nossa pesquisa mostrou que essas congregações oferecem oração pelas pessoas de fora por meios variados, praticando a intercessão por educadores, políticos, policiais, bombeiros e outros líderes da comunidade.

Grupos de oração, vigílias de oração, salas de oração e eventos de oração acontecem constantemente nas igrejas transformacionais.

Perceba a influência transformacional que a oração teve na restauração do povo de Deus e dos lugares sagrados nos tempos bíblicos. Um exemplo é o de Salomão, que orou longamente na dedicação do templo recém-concluído de Jerusalém. A resposta de Deus à oração do rei foi imediata, na forma de um desafio e de uma promessa. O Senhor disse: "Se meu povo, que se chama pelo meu nome, humilhar-se e orar, buscar minha presença e afastar-se de seus maus caminhos, eu os ouvirei dos céus, perdoarei seus pecados e restaurarei sua terra" (2Cr 7.14).

A solução começa dentro da igreja, com a mudança do povo de Deus. Quando o povo muda, Deus começa a usá-lo para mudar a comunidade, a "terra". Buscar a face de Deus e orar são passos significativos para que ocorra transformação em sua cidade.

Acessibilidade de "todas as pessoas" a um relacionamento com Deus

A oração dá a todas as pessoas acesso a Deus. O maravilhoso plano divino foi apresentado por Paulo: "Olho nenhum viu, ouvido nenhum ouviu, e mente nenhuma imaginou o que Deus preparou para aqueles que o amam" (1Co 2.9). O sacerdote ou o pregador não tem acesso maior ao Senhor do que a criança que crê em Cristo. As pessoas que oram entram na presença de Deus, não importa qual seja a língua, a tribo ou a nação: todos são especiais para Deus. E ele deseja ter conversas relacionais com todas as pessoas.

Os religiosos do episódio do templo enraiveceram Jesus porque estavam bloqueando o espaço reservado para que os gentios orassem. O resultado foi que o templo se tornou um lugar exclusivo para que alguns poucos "escolhidos" desfrutassem do contato com Deus. O desejo divino, de antes da fundação do mundo que ele "tanto amou", era que todos os povos o conhecessem e o experimentassem. Jesus ficou irado porque a oração fora relegada a uma posição de baixa ou nenhuma prioridade, particularmente para aqueles que não eram "de dentro".

Nas igrejas transformacionais, a oração é ensinada como uma maneira pela qual todos se conectam ao único e verdadeiro Deus. Ela é prioritária porque conectar-se a Deus é mais importante do que conectar-se a programas.

A resposta ao povo de Deus que ora

Por que é importante que o povo de Deus se envolva com a oração e por que a oração é o propósito da casa de Deus? Porque ela é um relacionamento e uma conversa com o Senhor. Jesus quer entrar na vida das pessoas por meio da oração. Gente que ora desfruta de um nível mais profundo de parceria com Deus na tarefa de mudar o mundo, pois reserva tempo para seguir a liderança dele. Tiago descreveu a importância da oração:

> Portanto, confessem seus pecados uns aos outros e orem uns pelos outros para serem curados. A oração de um justo tem grande poder e produz grandes resultados. Elias era humano como nós e, no entanto, quando orou insistentemente para que não caísse chuva, não choveu durante três anos e meio. Então ele orou outra vez e o céu enviou chuva, e a terra começou a produzir suas colheitas.
>
> Tiago 5.16-18

A oração é importante porque é poderosa. Seu poder é encontrado no Deus a quem oramos. O desejo que ele tem para nós é que o convidemos para os eventos de nossa vida de modo que possamos ser parceiros dele, envolvidos em sua obra divina.

Você já parou para pensar na razão de Deus nos instar a orar? Será que, se não orássemos, ele não faria o que se propõe a fazer? Em certos assuntos, sim. Mas o mistério da oração em conjunto com a soberania de Deus é a confiança que vemos nessa passagem (e em muitas outras) que atribui poder e resultados à oração. Deus escolheu a oração para ser o veículo pelo qual ele muda as pessoas e o mundo. Orar de acordo com sua vontade, com o coração correto, fará diferença nos assuntos do mundo.

As igrejas transformacionais viram vidas transformadas depois de terem orado. Por conta de oração no passado, a liderança do Espírito foi estabelecida nelas. Seus membros oram na expectativa de que Deus continuará a responder aos seus pedidos de orientação, capacitação e mudança em sua comunidade.

Práticas transformacionais de oração

As igrejas que identificamos em nossa pesquisa como sendo transformacionais valorizam e praticam a oração, pois abraçam os valores de Jesus. Diferentes métodos e tradições influenciam o ato de orar nas igrejas transformacionais. Como são igrejas profundamente comprometidas com a oração, adotam princípios constantes, que devem ser considerados.

Igrejas que oram experimentam avanços

Igrejas com práticas transformacionais variam em tamanho, localização, métodos e denominação. Mas igrejas que experimentaram qualquer tipo de avanço ou mudança enfatizavam a oração em sua história. "Pastores e igrejas precisam ficar suficientemente desconfortáveis a ponto de dizer 'não podemos ser chamados de cristãos neotestamentários se não tivermos uma vida de oração'. Essa convicção nos traz certo incômodo, mas não há outra maneira de avançar com Deus".[4]

Igrejas que oram têm líderes que oram

O princípio de servir de modelo é um tema recorrente nas igrejas transformacionais. Seja envolvendo a comunidade, seja abraçando relacionamentos com pessoas perdidas, seja orando, os pastores dessas igrejas incorporam as práticas abraçadas pelos cristãos do Novo Testamento. O primeiro chamado dos líderes dessas congregações é viver como Cristo. O segundo é equipar os santos por intermédio da atitude de ser um pastor-mestre, de acordo com Efésios 4 — e isso inclui a oração.

Igrejas que oram experimentam respostas à oração

Ambientes de oração são marcados pela intervenção de Deus, que é glorificado quando suas respostas ao clamor de seu povo são evidentes. Os líderes transformacionais sabem que histórias são fundamentais para dar combustível a movimentos de oração em suas igrejas.

Eu, Sérgio, tive, em 2005, uma das experiências mais marcantes sobre orações respondidas. Havíamos acabado de comprar um terreno para o desenvolvimento do projeto Cidade Viva e nos aproximávamos da data de pagar uma das prestações do contrato, que equivalia a quatro vezes a arrecadação mensal da nossa igreja. Em uma noite difícil, eu e minha esposa oramos a Deus pedindo a misericórdia dele sobre nós. Dois dias depois, fomos surpreendidos com uma doação feita à igreja em valor exatamente igual ao que precisávamos para pagar a parcela. Fomos tomados por santa perplexidade, não só pela provisão, mas pelo fato de o doador nem imaginar que precisávamos daquele valor.

Infelizmente, muitos oram sem qualquer crença substantiva, como se acreditassem apenas no conceito "se for da tua vontade". As igrejas transformacionais oram porque acreditam que é importante que orem. Para que sua igreja se torne transformacional, ela deve acreditar que Deus responde às orações de seu povo, segundo a própria vontade divina.

Igrejas transformacionais vão além de programas de oração e desenvolvem uma vida de oração

Aqui não estamos desvalorizando o desenvolvimento de instrumentos de incentivo à oração, mas o que ficou clarou na pesquisa foi que as igrejas transformacionais valorizam o desenvolvimento de uma vida de oração que permeia as suas ações cotidianas. O pastor Antônio Alves José, da Igreja Cristã Evangélica, em Campinas (SP), afirmou na pesquisa:

> Oração é o que move tudo. Sem oração nós não vamos a lugar nenhum. O objetivo da oração é sempre trazer a presença de Deus para nossa vida e para a igreja. Assim, é por meio da oração que ele manifesta a sua glória, que cura e liberta, pois a Palavra de Deus afirma que o Espírito Santo é quem convence o homem do pecado. A nossa igreja não tem um programa de oração, mas uma vida de oração.

Acerca desse quesito, a ênfase do pastor Orlando Antonangelo, da Igreja Presbiteriana em Sertaneja (PR), foi sobre a necessária dependência do Senhor em oração:

> Se Deus acorda você durante a noite, é preciso levantar, colocar os seus joelhos no chão e falar com ele no silêncio da madrugada. Eu não estou falando de cinco minutos, mas de uma, duas horas na presença do Senhor, clamando para que ele mude a história da nossa igreja, da nossa cidade. Isso tem reverberado muito em nossa comunidade.

O pastor Jonison Miranda, da Segunda Igreja Batista em Valença (RJ), explica as transformações pelas quais a congregação passou no tocante à oração:

> Atualmente, nossa igreja confia mais no poder de Deus. No passado, ela sofreu bastante, pois, embora estejamos completando trinta anos, sete pastores já passaram por aqui, e isso é demais para uma igreja nova como a nossa. A saída dos pastores provocou muita dor e sofrimento na comunidade. Então, uma nova visão surgiu. A igreja não costumava viver pela fé; ela vivia pelo que via, mas, agora, aprendemos a depender mais do Senhor, aquele que possui todo o ouro e toda a prata, que é o nosso Jeová Jiré, aquele que supre as nossas necessidades conforme a sua vontade, aquele que nos assegura que as portas do inferno não prevalecerão contra nós.

Ambientes de oração nas igrejas transformacionais

A oração é uma necessidade indiscutível na vida cristã, pois é sempre a resposta certa para a maioria dos problemas. Contudo, quantos cristãos e igrejas de fato oram como deveriam? Nossa pesquisa fundamentou a importância de uma igreja que não apenas valoriza a oração, mas que também pratica a oração. Nas igrejas transformacionais, a oração é valorizada e praticada a ponto de gerar um movimento alinhado à vontade de Deus. Assim que as pessoas começaram a experimentar o poder e a presença divinos por meio da oração, mais gente começou a entender a situação. Nossa pesquisa revelou que 78% dos membros das igrejas classificadas como transformacionais concordam forte ou moderadamente com a afirmação: "Frequentar a minha igreja me leva a querer orar mais em minha vida pessoal".

Igrejas cujos ambientes motivam as pessoas a orar jamais poderiam fazer isso por meio de manipulação ou da criação de falsas expectativas. Em nossos dias, há muitos métodos ou atividades aos quais recorrer, além da oração, para tentar obter resultados. Porém, precisamos de vozes proféticas que abracem a necessidade de chamar a igreja à oração. Nossa única esperança é a intervenção divina, e não a nossa mais recente ferramenta de revitalização ou estratégia de plantação de igrejas. Onde as pessoas oram, Deus opera. Onde Deus opera, a transformação acontece.

O escritor e evangelista Leonard Ravenhill nasceu na Inglaterra, em 1907. Ele influenciou muitos líderes e igrejas importantes por meio de seus textos, seu ensino e sua pregação. Sua voz profética clamou por reavivamento e alertou contra a falta de oração. À medida que continuamos a ser sobrepujados pela perdição e ficamos desesperados por respostas, precisamos de mais vozes que chamem à oração. Ravenhill escreveu, em 1959:

> Tão assolada pela pobreza como a igreja é em tantas coisas, ela é mais atingida aqui, no lugar da oração. Temos muitos que organizam, mas poucos que agonizam; muitos que participam e pagam, mas poucos que oram; muitos que cantam, mas poucos que se apegam. Muitos pastores, poucos batalhadores; muitos medos, poucas lágrimas; muita moda, pouca paixão; muitos que interferem,

> poucos que intercedem; muitos escritores, mas poucos lutadores. Caindo aqui, cairemos em todos os lugares.[5]

Por enquanto, vemos poucas evidências de que muitos de nós acreditam que "Caindo aqui [na prática da oração], cairemos em todos os lugares". Mas, quando ficarmos sem opções, acreditaremos. Esperamos que não seja tarde demais quando isso acontecer. As igrejas transformacionais já estão lá.

Tendo visto que as igrejas transformacionais sabem discernir os seus contextos por meio de uma mentalidade missionária e abraçam os três valores-chave — liderança vibrante, intencionalidade relacional e ênfase em oração —, adiante veremos três manifestações fundamentais de transformação no que se refere a "envolver". A primeira delas é a experiência da adoração verdadeira, o assunto do nosso próximo capítulo.

7

Adoração: um ato de amor e devoção a Jesus

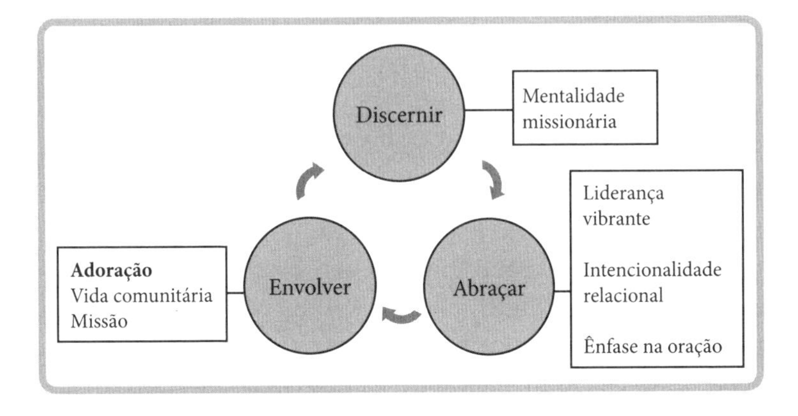

A adoração talvez seja a ação mais importante da experiência humana, e as igrejas transformacionais envolvem-se com Jesus ativamente por meio dela. Deus criou o coração humano com a necessidade de encontrar algo pelo que ter a maior estima. A intenção do Senhor desde o início era assumir essa posição em nossa vida.

As igrejas transformacionais colocam a adoração no ponto central de seus esforços. E, por enquanto, não estamos nos referindo à reunião dominical, pois tais congregações investem tudo no fato de que Deus merece ser adorado a todo tempo. A motivação de ver pessoas de todas as nações se tornarem discípulas de

Cristo se baseia em seu desejo de ver Deus receber a honra que merece. As igrejas transformacionais têm um amor tão grande por Deus que sabem que a adoração é uma maneira de viver, e não um tipo de programação da igreja.

Para os propósitos de nosso estudo, porém, precisávamos descobrir tanto as atitudes quanto as atividades onde a transformação acontecia. O culto é a atividade mais comum da vasta maioria das igrejas. Os cultos de adoração são mantidos pelas igrejas em crescimento, pelas que estão estagnadas ou por aquelas em declínio. Igrejas de toda denominação, tipo e perspectiva teológica têm cultos. E todas elas se baseiam na ideia de que Deus merece ser adorado.

Mas as igrejas qualificadas como transformacionais são aquelas onde simplesmente agendar e realizar um culto de adoração não é suficiente. Elas têm uma elevada confiança de que vidas serão impactadas por meio da adoração porque suas expressões de adoração apresentam constantemente a verdade sobre quem Jesus é e o que ele deseja para a vida de seu povo. Seus cultos são repletos de expectativa. Em missão, elas esperam que vidas sejam transformadas. Em comunhão, elas esperam que as pessoas se conectem. No evangelismo, elas esperam que discípulos sejam feitos. O mesmo senso de expectativa carrega seus cultos com um entusiasmo que as diferencia das outras igrejas. Segundo o pastor Edson Mário, da Igreja Batista do Jardim Paulista, em Várzea Paulista (SP):

> Nós entendemos que a adoração é o culto inteiro, qualquer elemento do culto nós entendemos como sendo adoração a Deus. E mais do que o culto, nós entendemos que nossa vida como um todo deve ser entregue em adoração. Agora, há uma diferença, pois nós entendemos que o culto é uma adoração comunitária. Na Bíblia, tanto no Antigo como no Novo Testamentos, nós vemos que as palavras que traduzimos em português por "adoração" significam "submissão" e "serviço". Assim, para nós, adoração é quando servimos a Deus em submissão à sua vontade.

Nossa pesquisa detectou que 79% dos membros das igrejas transformacionais concordam forte ou moderadamente com a afirmação: "Um senso de expectativa e de anseio cerca nossos cultos". Nessas comunidades, as pessoas se reúnem com expectativa de que algo maravilhoso vai acontecer e saem dos cultos com entusiasmo. Em muitas das demais igrejas, os líderes e as pessoas se reúnem sem essa expectativa. Eles estão apenas acostumados a cultos que começam às 10 horas em ponto e acabam às 11h15, sem atraso. Não que a pontualidade não seja algo a se buscar com afinco, mas ela jamais poderá, por si só, ser algo transformador.

Duas outras questões identificadas por nossa pesquisa favorecem nossa ideia sobre a vida de uma igreja transformacional: quase dois terços (73%) dos membros das igrejas classificadas como transformacionais concordam forte ou moderadamente com a seguinte afirmação: "Vemos evidências da ação de Deus por meio da transformação de vidas como resultado de nossos cultos de adoração", enquanto 83% concordam forte ou moderadamente que "É comum as pessoas tomarem a decisão de aceitar a Cristo como Senhor e Salvador como resultado de nossos cultos de adoração".

A adoração em uma igreja transformacional se concentra em mais do que uma presença mística de Deus. Em razão de uma ênfase intencional na apresentação das verdades de Cristo e de sua Palavra, uma igreja transformacional espera que a presença de Deus seja real e

O que dizem os líderes transformacionais

"A adoração prenuncia não apenas um encontro com Deus, mas também uma próxima palavra clara vinda de Deus. A adoração é completamente centrada em Deus! É focada em Deus! Da adoração vem um relacionamento com Deus de fé e obediência mais claro e mais focado. A adoração é a maneira escolhida por Deus para desenvolver caráter e direcionar a vida para o centro de sua vontade."[1]

Henry Blackaby,
pastor e fundador
do ministério Blackaby
Ministries International

transformadora em suas experiências de adoração. Cientes disso, elas desejam que as pessoas venham a mudar por causa do dom da misericórdia de Deus, e insistem para que isso aconteça.

A reunião coletiva é importante

Criticar a reunião coletiva do povo de Deus está na moda. O pesquisador americano George Barna chocou o mundo cristão quando predisse que a igreja teria uma frequência semanal 50% menor em 2025. Ele afirmou que continuaria a crescer a tendência dos "minimovimentos", nos quais os seguidores de Cristo se tornarão mais nômades, movendo-se aleatoriamente em eventos, grupos ou experiências para apoiar seu relacionamento com Deus. Outros assumiriam como a forma mais bíblica de igreja os pequenos grupos informais de pessoas que experimentam Deus no conforto de seu próprio lar.[2] Há, ainda, quem acredite que a grande reunião dominical organizada, promovida em um local centralizado, sofrerá alteração na forma, migrando para encontros nos lares.

Vemos alguns benefícios no movimento das igrejas nos lares, particularmente quando o propósito é criar zonas missionais seguras para que os não alcançados, os que deixaram a igreja e os que nunca foram à igreja possam encontrar e seguir a Deus. Apoiamos grande parte do movimento. Mas alguns dos temores e das críticas às igrejas que apresentam uma abordagem semanal estruturada são infundados. Tanto as multidões quanto o núcleo (estruturas de pequenos grupos) são necessários. Afinal de contas, a igreja nasceu na reunião de uma grande multidão, quando três mil foram salvos. A primeira estratégia de Deus para a plantação de igrejas foi ir da multidão para o núcleo.

Os dois contextos são elementos complementares e Deus os usa para seus propósitos. Transformar a multidão (a grande reunião) ou o núcleo (os pequenos grupos) em um argumento metodológico é simplesmente outra maneira usada por Satanás para dividir e tirar a atenção da verdadeira missão de Deus. As igrejas transformacionais esperam mudança de vida tanto nas reuniões menores quanto nas maiores. A adoração no templo e as reuniões nos lares realizadas pelos cristãos da Igreja primitiva resultaram em transformação de vida porque elas compartilhavam os componentes essenciais da adoração: a revelação de Jesus, o poder do Espírito Santo e a resposta da Noiva de Cristo em rendição e adoração.

Os resultados das grandes reuniões nos levam de volta ao foco principal deste capítulo. Primeiro, quando os cristãos se reúnem para adorá-lo, Deus é glorificado. Segundo, a adoração atrai a atenção para aquele a quem adoramos: nas grandes reuniões as pessoas de fora olham para aquele a quem adoramos e, ao testemunhar nossa adoração, perguntam: "Quem?". Terceiro, nossa adoração fornece uma defesa da fé que não é feita por homens, mas é de autoria divina e, portanto, é sobrenatural: ao testemunhar nossa adoração, os de fora perguntarão: "Onde? De onde vem tudo isso?". Em resumo, podemos dizer que reuniões de adoração são uma experiência que diz: "Não tem a ver comigo, mas com o Deus que eu adoro".

Não nos reunimos para tentar impressionar multidões com tecnologia, inovação e criatividade, mas para adorar apaixonadamente o Deus que salva. Essa adoração é tanto uma experiência quanto um estilo de vida sadio para os crentes. Ela nos lembra do reinado do Senhor em nossa própria vida e serve de sinal de sua santidade para aqueles que estão fora da fé.

O que acontece quando nos reunimos?

Assim como as igrejas transformacionais, nós valorizamos a grande reunião semanal do povo de Deus, mas não como um grande feito em si. A pergunta tradicional da reunião de líderes na segunda-feira pela manhã, "Quantos compareceram?", jamais pode ser a única medida relevante. Após fazer esse questionamento, a pergunta seguinte deve ser: "Quantos encontraram a presença transformadora de Deus por meio da adoração?". Precisamos investir em questões que concentrem nossas energias naquilo que é prioritário: o que Deus faz na vida daqueles que comparecem aos cultos.

Sim, existe algo a ser dito para uma família que arruma os três filhos e comparece ao culto do domingo pela manhã, para um adulto solteiro que vai à igreja sozinho e para um casal de idosos com problemas de saúde que enfrenta com bravura uma manhã fria de inverno para cultuar. A grande pergunta é: o que acontece quando eles chegam lá? Estamos criando consumidores de bens e serviços religiosos ou fazendo discípulos? As reuniões coletivas devem levar as pessoas para além da mera observação de atividades religiosas, chegando a uma experiência com o evangelho. Quando as pessoas comparecem ao culto, elas simplesmente observam um *show* ou são transformadas por Deus?

As perguntas que as igrejas transformacionais fazem sobre as reuniões de adoração são diferentes — e mais substantivas — do que a maioria das igrejas costuma fazer. Sally Morgenthaler, consultora na área de adoração, explica a perspectiva da pessoa que planeja a adoração do domingo:

> Como responsável por planejar a adoração, ainda me faço esta pergunta: como as pessoas encontrarão Deus neste momento de adoração? Mas estou cada vez mais me concentrando no Deus de nossa experiência, e não na experiência em si. A razão para isso é que é totalmente possível sentir-se perto de Deus sem de fato se concentrar em quem ele é. É inteiramente possível nos envolvermos na euforia da adoração sem fazer distinção entre um deus genérico e o Deus encarnado. E, nesta era de pluralismo espiritual, essa diferença é fundamental [...]. Líderes de adoração: conduzimos as pessoas à sala do trono de um deus genérico ou as aproximamos da presença do Deus Único, revelado e tornado eternamente acessível a nós por meio de Jesus Cristo?[3]

A maioria das igrejas lê essa citação e responde desta maneira: "Esperamos estar fazendo isso na maior parte do tempo". As igrejas transformacionais, por sua vez, a leem e sua resposta é: "É claro que sim. O que mais estaríamos fazendo?", pois a adoração no culto é planejada ali para levar as pessoas à presença de Deus, a fim de experimentarem o poder dele e serem transformadas por sua graça.

As igrejas transformacionais no Brasil têm um senso de expectativa sobre os seus cultos de adoração, e enfatizam a adoração ao Deus trino. Com muita emoção e reverência, os pastores de tais igrejas planejam os cultos e esperam que haja frutos para a glória de Deus.

A conexão entre adoração transformacional e a missão de Deus

A adoração não é uma parte compartimentalizada de nossa vida cristã, depositada na gaveta de assuntos genéricos das disciplinas espirituais. A adoração serve para nos conectar com Cristo e nos equipar para o ministério. Pouca coisa substancial será feita em nome de um Deus que nunca experimentamos. A verdadeira adoração nos permite experimentar o Senhor em um nível mais profundo e, ao fazê-lo, a missão pessoal e coletiva sempre será o resultado.

O profeta Isaías teve uma experiência transformacional na presença de Deus. Ele estava triste com sua vida. As pessoas que ele havia chamado para ajudar falhavam nos âmbitos social, moral e espiritual. Um rei sofrera o julgamento de Deus e morrera por causa de suas falhas espirituais. Isaías entrou na presença do Senhor com pesar e desapontamento. Mas Deus apareceu de uma maneira que trouxe reavivamento ao profeta.

Quando Isaías teve a visão de Deus no trono, foi lembrado da autoridade e da habilidade divinas. Isaías saiu dessa experiência transformado, porque Deus é sempre capaz de mudar nossas circunstâncias. Mas, independentemente do que havia de negativo na vida de Isaías, a sala do trono foi uma experiência positiva. Deus realiza o incomum e o inexplicável quando adoramos. Aqueles que experimentam sua presença sabem que ela é real, não construída pelo homem. E tão logo Isaías reconheceu a presença de Deus, a vergonha tomou conta dele, pois a santidade de Deus nos deixa descobertos. Conforme sua santidade é revelada, devemos reconhecer nosso pecado — é plano de Deus que isso ocorra. E isso é transformador.

A verdadeira adoração transformará o adorador. Adoradores transformados transformarão o mundo. Deus fez duas perguntas a Isaías: "Então ouvi o Senhor perguntar: 'Quem enviarei como mensageiro a este povo? Quem irá por nós?'. E eu respondi: 'Aqui estou; envia-me'" (Is 6.8). Para Isaías, a adoração verdadeira produziu transformação e missão.

Do mesmo modo, na Igreja primitiva, a adoração tinha como consequência o comprometimento com a missão de proclamar as boas-novas. Na Igreja de hoje, adoradores transformados se juntam à missão de Deus de mudar o mundo. Isaías tornou-se um daqueles "enviados". Assim deve ser com todo cristão. A transformação pelo evangelho resulta em envio. E, ao se reunirem como um grupo de enviados, os cristãos terão a oportunidade de se tornar uma igreja transformacional.

A aparência da adoração: reverência *versus* relevância

Antes de continuarmos nossa consideração sobre a adoração transformacional, uma pergunta deve ser respondida: a maneira como adoramos realmente importa? De maneira simples, a resposta é "sim". Estamos buscando uma experiência com Deus ou dando a ele o que merece? Autor de mais de quarenta livros sobre a vida cristã, J. Oswald Sanders descreveu adoração da seguinte maneira: "No ato de adorar, Deus comunica sua presença a seu povo".[4]

Jesus garantiu: "Pois, onde dois ou três se reúnem em meu nome, eu estou no meio deles" (Mt 18.20). Conforme o adoramos, envolvemos o Deus que já está ali. Sanders continua: "A palavra 'adoração' deriva de um termo cujo significado é 'prostrar-se', 'curvar-se perante algo'. É usada para descrever um cão que adula seu dono. No uso que fazemos, é 'o ato de prestar reverência e honra a Deus'".[5]

Adoração é o ato volitivo de nosso envolvimento e discurso públicos sobre a obra de Deus. A adoração não é a música, mas a inclui, pois o estilo não determina a mensagem de Cristo. A adoração é uma questão do coração. Paulo escreveu aos colossenses: "Que a mensagem a respeito de Cristo, em toda a sua riqueza, preencha a vida de vocês. Ensinem e aconselhem uns aos outros com toda a sabedoria. Cantem a Deus salmos, hinos e cânticos espirituais com o coração agradecido" (Cl 3.16). Quando a adoração se torna uma questão de estilo, e não de coração, então existe um problema.

A adoração deve começar com o objetivo de apresentar claramente a verdade de Jesus. Quando a mensagem de Cristo é comunicada, então os membros da igreja podem admoestar uns aos outros a viver de maneira digna do evangelho. Ao adorar em verdade e em graça uns para com os outros, vemos verdadeiras expressões de louvor de todos os tipos, incluindo o que já cantamos em nossas tradições, assim como as novas expressões de adoração e expressões espontâneas conduzidas pelo Espírito. Reduzir a adoração ao foco em um estilo faz com que Deus deixe de ser a razão para que aquela reunião aconteça.

Nos dias atuais, a maneira como organizamos o culto tem provocado intensos debates no seio da Igreja. Na realidade, essa questão de tanto peso emocional sempre foi controversa no movimento cristão. Contemporâneo ou tradicional? Grupo de louvor ou coral? Guitarra, órgão ou nenhum instrumento? Dança? Teatro? Cristãos e igrejas estão divididos sobre a maneira certa ou errada de desfrutar da presença de Deus na adoração. Quem está certo? Quem está errado?

Uma característica que qualifica uma igreja como transformadora é que ela não fica amarrada em dicotomias de ministério. A falsa comparação entre relevância cultural e reverência, por exemplo, é uma ilustração disso. Mas, pelo fato de a conversa ser tão prevalente, sentimos a necessidade de abordá-la aqui.

Muitas igrejas nas quais a adoração esfriou ou tornou-se desmotivadora tentam reavivá-la por meio da mudança do estilo musical. Essa tática normalmente leva ao conflito, porque optamos por enfatizar as preferências centradas no homem. Concentrar-se na clara revelação de Deus e na autoridade de sua Palavra levará à liberdade trazida pelo Espírito.

Será que conseguiremos solucionar a controvérsia sobre a maneira como adoramos? Sim e não. Sim, terminaremos superando a controvérsia, mas não até que estejamos reinando com Jesus para sempre na nova Jerusalém (cf. Ap 21). Nessa cidade não haverá mais morte, choro, dor, templo, sol, lua, portões fechados ou noite. É razoável esperarmos que não haverá mais debates sobre estilos musicais conforme estivermos adorando a Deus para sempre. Jesus será o foco, e não a maneira como adoramos! Não veremos mais as atitudes de ira dos idosos ou o tédio demonstrado pelos que estão na casa dos 20 anos! Contudo, no aqui e agora, enquanto existirem pessoas, preferências, tradições, além de nossa natureza pecaminosa, continuará havendo divisão sobre a maneira como prestamos culto coletivo a Deus.

Uma das principais polarizações quanto ao que deve fazer parte ou não de um culto de adoração ao Senhor pode ser observada nos pontos de vista contrários daqueles que defendem os chamados Princípio Regulador e Princípio Normativo do culto. De maneira geral, os que defendem o Princípio Regulador afirmam que só devemos ter no culto o que a Bíblia claramente prescreve (como louvor, exposição da Palavra, oração e prática do batismo e da ceia). Já os que defendem o Princípio Normativo acreditam que podemos ter no culto tudo o que a Bíblia não proíbe, desde que se obedeça a outros princípio regentes, tais como a decência e a ordem.

As divergências são bem mais complexas do que pensamos, pois, embora os defensores de ambas as correntes concordem, por exemplo, que o louvor deve fazer parte do culto, a controvérsia em relação aos estilos musicais existe desde os primórdios da história da Igreja. Ambrósio (340-397), bispo de Milão, foi grandemente influenciado pelo canto de hinos nas igrejas ocidentais e é considerado o "pai da hinódia latina". De fato, Ambrósio introduziu um novo estilo de canto, que era mais fácil de ser entoado pelo público em geral e que apelava às emoções. Contudo, seus críticos não apreciavam essa nova abordagem.

Outro tipo de controvérsia surgiu quando o compositor germânico Georg Friedrich Händel (1685-1759) apresentou seu famoso e reverenciado oratório *Messias*. Como era típico do estilo de escrita de Händel, várias das melodias que ele usou já haviam sido usadas em suas operetas, uma espécie de eventos musicais menores. Nas primeiras dez apresentações do *Messias*, Händel foi considerado herege por muitos, criticado por executar a música em ambientes não religiosos e por usar música "secular" por trás de palavras sacras.

A Igreja tem brigado por causa da música ao longo de toda a sua história. Dos cantos gregorianos, passando pelo *Messias* de Händel e chegando ao *rock gospel*, temos batalhado por questões pessoais e emocionais na hora de escolher as músicas. As pessoas abraçam seu estilo preferido com grande paixão. A ideia de que sempre haverá guerras ligadas à adoração é desanimadora. A missão do diabo é fazer com que as pessoas perdidas continuem perdidas — e levar-nos a não prestar atenção na glória de Deus é uma estratégia engenhosa. Quando a música se confunde com adoração, Satanás vence. O desejo por transformação é substituído pelo desejo por satisfazer um gosto musical, numa troca bem danosa.

O fato é que toda geração tende a repudiar a música da geração anterior ou da seguinte. Assim, existe uma tensão constante entre pelo menos três gerações sobre suas preferências musicais. Porém, se os homens brigam por causa de estilo musical, Deus usa todos os tipos de música para sua glória e honra. Estamos brigando por causa de formas culturais quando deveríamos nos envolver em conteúdo bíblico. Deus usa formas musicais diferentes? Sim. Lembre-se: a adoração é uma questão de coração. E, com base no registro bíblico, não encontramos essa coisa de "música cristã" e "música secular", mas apenas letras cristãs ou não.

Seja qual for o seu sentimento sobre o *como* da adoração, todos concordamos que a adoração é bíblica e, portanto, deve ser transformacional. As igrejas que nosso estudo considerou transformacionais entendem a adoração como algo fundamental para aquilo que fazem. Suas reuniões de adoração são uma porta de entrada, uma maneira de se juntar à igreja. A adoração também é um veículo fundamental para fazer discípulos. Assim, para uma igreja transformacional, a adoração comunitária desempenha um papel vital.

Decisões devem ser tomadas. Estilos e metodologias devem ser escolhidos. Sendo assim, como alguém decide? As guerras de adoração atuais têm dois lados. Um é motivado por aquilo que se acredita ser relevante. Qual tipo de estilo musical vai permitir que nos conectemos com as pessoas que estamos tentando alcançar e incentivar uma adoração verdadeira? O outro lado é representado por aqueles que sentem que a reverência é o elemento-chave da adoração. O primeiro grupo está tentando puxar a igreja para a frente; o segundo está tentando empurrar a igreja de volta a um estilo mais reverente. O puxa-empurra é que é o problema.

Não existe um lado certo ou um errado. Na maioria dos casos, os que puxam e os que empurram perderam o foco. Além disso, tanto os que empurram quanto os que puxam estão causando uma divisão desnecessária na Igreja e danificando o testemunho dos cristãos. Todos devemos relembrar que a adoração é tão atemporal quanto o próprio Deus.

De que maneira a Bíblia fala sobre reverência? A reverência é expressa por Davi por meio da dança: "Davi usava um colete sacerdotal de linho e dançava diante do SENHOR com todas as suas forças" (2Sm 6.14). Davi humilhou-se como rei e assumiu a posição normalmente reservada a um escravo, que lideraria uma procissão pelas ruas. Seu amor pelo Senhor levou tanto a um arroubo de emoção quanto a uma dança de celebração.

A reverência em Apocalipse é expressa de outra maneira. O apóstolo João experimentou a presença do Senhor de forma poderosa e impactante: "Quando o vi, caí a seus pés, como morto. Ele, porém, colocou a mão direita sobre mim e disse: 'Não tenha medo! Eu sou o Primeiro e o Último. Sou aquele que vive. Estive morto, mas agora vivo para todo o sempre! E tenho as chaves da morte e do mundo dos mortos'" (Ap 1.17-18).

Davi e João, dois homens de Deus, na presença do mesmo Deus, experimentaram duas formas diferentes de reverência. Uma foi exterior, movimentada e exuberante; a outra foi interior, quieta e submissa. As Escrituras devem ser nosso guia nessas decisões importantes. Embora exista muito espaço para diferentes expressões na presença do Senhor, perceba que existe muita permissão também. "Portanto, alegrem-se no SENHOR e exultem, todos vocês que são justos! Gritem de alegria, todos vocês que têm coração íntegro!" (Sl 32.11); "Batam palmas, todos os povos! Celebrem a Deus em alta voz!" (Sl 47.1); "Louvem-no com tamborins e danças, louvem-no com instrumentos de cordas e flautas!" (Sl 150.4).

Deus deve ser reverenciado. A maneira como o adoramos realmente importa. A maioria das pessoas que defendem a reverência, porém, na verdade quer voltar a um passado de sua preferência, dependendo de sua tradição. A forma de expressar reverência difere de uma cultura para outra. Na África, eu, Ed, pulei com pessoas em adoração, e na Ásia curvei-me juntamente com outras. A reverência é primeiramente uma atitude do coração, expressa e moldada pela cultura do adorador.

Preferências ou convicções bíblicas?

As pessoas de ambos os lados da questão expressam convicções que são, na verdade, moldadas por preferências pessoais. Alguns líderes e plantadores de igrejas costumam se sentir motivados a cultuar a Deus como um estilo de adoração contemporânea, com violões e guitarras, semelhante ao de uma banda como a irlandesa U2. Mas o fato de uma música ter a cara do momento não significa necessariamente que represente uma maneira contextualmente relevante de adorar. Os líderes precisam ser cuidadosos para planejar o culto de adoração não com sua mente, mas com os olhos na comunidade.

Use a mentalidade missionária e entenda a linguagem do coração de sua comunidade. As escolhas musicais devem ser apropriadas ao contexto. Não existe um único estilo de música que seja relevante para todas as culturas do mundo. Nosso estilo de música atual pode se encaixar em nossa comunidade, mas é capaz que isso mude em cinco anos. Você estará disposto a mudar ou vai insistir em impor seu estilo musical às pessoas da comunidade que deseja alcançar? A música é a ferramenta, mas sempre mudará com base no contexto. Deus nunca transmitiu notas musicais ou melodias nas Escrituras, mas elas se concentram nos resultados da adoração.

É comum insistirmos que a adoração seja da maneira como era quando estávamos na adolescência e na juventude. Nossas preferências musicais têm raízes profundas. Seu envolvimento na igreja quando era pequeno ou jovem pode ter sido incrivelmente positivo, mas lembre-se de que foi Deus quem falou e trabalhou na sua vida durante aquelas reuniões de adoração. E ele ainda trabalha hoje por meio de múltiplos estilos musicais.

Eu, Ed, tornei-me cristão na década de 1970. Naquele tempo, a música no estilo "7-11" (sete palavras cantadas onze vezes) era popular na adoração cristã. Eu cantava "Senhor, ó Senhor, lembra-te de mim, Senhor". Aprendi sobre adoração no final dos anos 1970 e início dos 1980. Exerci meu primeiro cargo na diretoria da igreja quando tinha 19 anos. Trabalhava basicamente com jovens e ajudava um pouco no programa com a terceira idade. Uma das minhas responsabilidades era liderar a adoração em um asilo local. Lembro-me da minha primeira visita.

Eu estava determinado a ir àquele local e ensinar àquelas pessoas como realmente adorar. Naturalmente, levei o único instrumento legítimo de adoração que eu conhecia: o violão. Lembro-me da senhora Langley que, com 92 anos, pôs a mão em meu braço quando entrei e disse: "Não se preocupe, não vamos precisar desse violão. Simplesmente vamos cantar e queremos que você apenas cante com a gente". Cantamos *Rude cruz*, hino com o qual eu tinha pouca familiaridade. Fiquei observando aqueles santos idosos de Deus. Eles adoraram e choraram juntos. Saí dali completamente humilhado. E pensar que eu acreditava que um menino de 19 anos de idade com um violão iria ensinar-lhes a adorar. O desafio é aprender a ser suficientemente maduro para adorar de maneiras diferentes.

Uma tentativa popular de resolver a diversidade de estilos e gostos musicais é tentar fazer a chamada adoração mesclada, isto é, utilizar músicas de épocas e estilos diferentes num mesmo culto. Não faria sentido ceder um pouco? Embora possa fazer sentido num primeiro momento, não conhecemos muitos exemplos de adoração mesclada que tenham resolvido alguma coisa. O propósito de Deus na adoração não é deixar todo mundo feliz. O desejo de Deus é que as pessoas o descubram e o glorifiquem por meio da adoração. Acomodação não é o caminho.

Adoração agradável a Deus

Jesus descreve o desejo que Deus tem pelos adoradores verdadeiros em uma conversa com a mulher samaritana (cf. Jo 4). Ela chegou ao poço com diversos problemas, incluindo uma sequência de relacionamentos interrompidos e uma ideia equivocada sobre adoração. Mas Jesus não a evitou; antes, levantou a questão de seus problemas relacionais. Ela falou sobre locais; ele falou sobre vida. Jesus ensinou que o cerne da adoração é o que mais importa:

> Mas está chegando a hora, e de fato já chegou, em que os verdadeiros adoradores adorarão o Pai em espírito e em verdade. O Pai procura pessoas que o adorem desse modo. Pois Deus é Espírito, e é necessário que seus adoradores o adorem em espírito e em verdade.
>
> João 4.23-24

As igrejas transformacionais encontram uma maneira de as pessoas evitarem os debates sobre lugar, estilo e método. Elas se concentram na participação máxima na adoração, que, como Jesus ensinou, deve acontecer nos níveis do espírito e da verdade.

Gostaríamos de sugerir que você fizesse um experimento simples: sente-se em um lugar diferente no próximo domingo, ainda que você seja o líder da igreja. Encontre uma posição no ambiente da qual possa ver a maioria das pessoas reunidas para a adoração e procure observar se elas estão participando ativamente. Preste atenção em quantas estão plenamente envolvidas, em oposição àquelas que estão passivas. Esperamos que você seja surpreendido positivamente; mas, pelo que verificou nosso estudo, descobrimos que há maior probabilidade de sua surpresa ser negativa. Um apoio quantitativo preciso é praticamente impossível de ser obtido, em razão do "efeito halo" das pesquisas, mas é relativamente fácil qualificar os resultados. O efeito halo nos diz que as pessoas respondem da maneira como elas acham que as coisas deveriam ser, em vez de responder da maneira como elas realmente são. Sabemos, por meio de histórias e testemunhos, que a maioria dos membros das igrejas não se envolve ativamente durante os momentos de adoração.

Por que isso acontece? Um fator contribuinte é o surgimento do "artista de igreja", produto da clericalização, na qual profissionais realizam o trabalho que Deus planejou para todos os crentes. O artista é um cantor talentoso que vê a liderança da adoração como uma *performance* de adoração, da qual os demais desfrutam como observadores. Essa *performance* pode inspirar e se conectar com a audiência e, em alguns momentos, até mesmo envolver o adorador. Nessa abordagem, porém, na maior parte das vezes, as músicas são novas demais, desafiadoras em termos vocais e com um som excessivamente agressivo para envolver o adorador comum. Embora seja apropriada para um concerto, essa abordagem cria adoradores passivos. E adoradores passivos normalmente vivem uma vida cristã passiva.

As igrejas transformacionais envolvem ativamente as pessoas na adoração e são conduzidas por líderes de adoração que valorizam a participação acima da *performance*.

O propósito da adoração

Se o que você deseja é agradar a Deus na adoração, envolver-se numa guerra é inútil. Há pessoas demais tentando resolver a iminente ou já declarada "guerra da adoração" fazendo uso do indefinido culto mesclado. A maioria concorda que a adoração mesclada fornece uma oportunidade igual de ofender todos os participantes. Por quê? Antes de tudo, porque mesclar estilos musicais costuma ser uma solução carnal para um problema espiritual. As escolhas na adoração se tornam algo que gira em torno de mim, meus gostos, minhas preferências. É a mentalidade "eu paguei e por isso quero ouvir a música que me agrada".

A adoração mesclada está construída sobre uma fundação errada. O certo não é seguir a mentalidade "eu quero isto e você quer aquilo, logo, podemos negociar um meio-termo?". Nenhum dos lados está verdadeiramente feliz com o meio-termo. Isso ocorre pela pressuposição falha de que as escolhas de estilos de adoração são a questão espiritual. Desse modo, o Deus que deveria ser adorado é posto de lado enquanto as pessoas discutem sobre a escolha das músicas. A adoração nunca deve girar em torno de nós, mas em torno de Deus e de sua glória.

Assim que os líderes de adoração abraçarem o coração de Deus, o foco sairá do estilo para o propósito — o de fazer com que todos se tornem verdadeiros adoradores. O resultado será a criação de novos valores, que influenciarão o estilo musical e as prioridades na adoração. Tenha em mente que o valor não será "manter todo mundo feliz". A adoração deve ser aquilo que unifica o Corpo de Cristo. Concentrar-se no propósito exigirá a implantação de certos princípios na igreja, os quais veremos a seguir.

Não somos chamados a liderar a adoração, mas a levar as pessoas a entrar na presença de Deus

Nossos objetivos são espirituais. Nenhum estilo que esteja por aí vai capacitar você a alcançar algo espiritual. A música é uma ferramenta; a adoração é o objetivo. Deus não valoriza rituais ou métodos; ele valoriza relacionamentos.

A adoração é uma disciplina espiritual que comunica um significado bíblico por meio da cultura

Você já parou para pensar qual estilo musical Deus prefere? O que Jesus nos ensinou é que o Senhor não tem preferência por estilo; sua atenção está voltada para o fato de as pessoas o adorarem em espírito e em verdade. A pergunta que deve nos motivar é: "O que Deus usará aqui, neste lugar, neste momento?". As igrejas transformacionais determinam o estilo de adoração com base em mandamentos bíblicos sobre adoração em nível de princípio, e que sejam apropriados ao seu cenário cultural em termos de estilo.

Devemos tomar a decisão de crer que as coisas não giram em torno de nossas preferências. Paulo descreveu como o cristianismo é vivido em qualquer contexto: "Ele morreu por todos, para que os que recebem sua nova vida não vivam mais para si mesmos, mas para Cristo, que morreu e ressuscitou por eles" (2Co 5.15). Tal como o restante da vida cristã, o ato de adorar é realizado a partir de transformação e para transformação.

Adore com base na sua unidade e escolha as músicas com base em sua missão

A adoração unifica; a música raramente o faz. Uma igreja que está buscando a transformação de uma comunidade de pessoas que estão distantes de Deus deve ter uma adoração que gire em torno de Deus e sua glória, em vez de girar em torno de estilos preferenciais. Se exigirmos coisas na adoração que não podem ser exigidas em qualquer expressão da igreja, em qualquer parte do mundo, então estamos exigindo elementos culturais, e não elementos bíblicos.

Vozes inúteis na igreja dizem que você não precisa se preocupar, pois a igreja é para os crentes e tudo o que precisa fazer é ensiná-los. Igrejas assim tendem a não alcançar muitas pessoas.

Elas se parecem mais com uma casa de repouso do que com um lugar de transformação de vidas. Consideramos que essas vozes se esqueceram de que todos nós já estivemos fora da igreja em algum momento.

Quando as formas de adoração são escolhidas de acordo com a missão, os descrentes dizem: "Vejo pessoas que estão se encontrando com Deus, e elas são como eu". Devemos ser cuidadosos para não deixar que nosso estilo de adoração crie barreiras artificiais para Deus. Ao repensarmos o propósito da adoração em oposição ao estilo, precisamos fazer perguntas melhores, como: "De que forma a adoração pode ser planejada a fim de levar pessoas deste tempo e deste lugar a adorar um Deus eterno?". Outra boa pergunta é: "Como nossa adoração pode ser planejada para que as pessoas possam se concentrar em Deus e dar a ele louvor, glória e honra?".

As pesquisas confirmam o fato de que igrejas em crescimento tendem a ser mais contemporâneas do que tradicionais em seu estilo de adoração. Existem exceções, claro. Eu, Ed, lembro-me de ter visitado a Redeemer Presbyterian Church, de meu amigo Tim Keller, em Nova York (EUA). Naquela igreja você testemunhará milhares de pessoas na casa dos 20 anos em um culto de estilo tradicional. O culto da manhã é descrito como "clássico". O culto da noite é uma mistura de *jazz* e contemporâneo.

As igrejas que buscam a transformação de sua comunidade não discutem sobre música. Elas se preocupam profundamente que a adoração ocorra.

A adoração deve ser compreendida por aqueles que necessitam de transformação

Uma pessoa que está longe de Cristo conseguiria vir ao nosso culto de adoração e ver pessoas iguais a ela em um contexto de adoração que lhe faça sentido? Não estamos falando sobre estilos de culto voltados totalmente aos que estão à procura de Deus ou mesmo de um estilo que seja "amigável" aos frequentadores, mas sim que seja "compreensível" a eles. Ao planejar a adoração, leve em conta que os crentes terão companhia de outras pessoas nos cultos. Não planeje tudo em função dos visitantes, mas tenha essa companhia em mente à medida que você planejar.

Tentar reduzir a maravilhosa experiência da presença de Deus a um método é não entender o sentido da questão. Apresentamos a história de Jesus — quem ele é e o que ele fez por nós — todas as vezes que o adoramos. Paulo descreveu o ser e o fazer do adorador cristão: "Que a mensagem a respeito de Cristo, em toda a sua riqueza, preencha a vida de vocês. Ensinem e aconselhem uns aos outros com toda a sabedoria. Cantem a Deus salmos, hinos e cânticos espirituais com o coração agradecido" (Cl 3.16). A mensagem do Messias deve sempre ser "compreensível" ao interessado em conhecer a Deus.

Abordar juntos as grandes questões da adoração

Não há soluções definitivas para as guerras da adoração nesta vida. Contudo, um processo saudável de discernimento da vontade de Deus para sua igreja poderá ser transformacional. Os líderes e os membros devem viver em adoração humilde, em vez de se concentrar em um evento de adoração que dura uma hora. Viva na adoração descrita na Escritura: "Assim, por meio de Jesus, ofereçamos um sacrifício constante de louvor a Deus, o fruto dos lábios que proclamam seu nome" (Hb 13.15). Aborde as questões difíceis da adoração de uma maneira que ajude as pessoas a abraçar as soluções de Deus seguindo as ideias apresentadas a seguir.

Pergunte ao Senhor

Adoração é uma questão espiritual, e não musical. Davi estava enfrentando uma dificuldade crítica relacionada ao futuro de sua nação quando deparou com os filisteus. Sem ter certeza de quais escolhas estratégicas fazer para vencer a batalha, a Bíblia diz que "Davi perguntou a Deus" (cf. 1Cr 14.10,14). Embora experimentado na batalha desde a infância, ele pediu sabedoria ao Senhor. A melhor parte da história é que Deus respondeu de maneira detalhada e, então, Davi obedeceu.

A dependência em oração converge com nossa atividade de adoração. Com tantas coisas em risco, não deixe de lado a beleza da simples dependência de Deus para obter as respostas. Ele sabe como deve ser a adoração no seu contexto e se importa com todos os envolvidos em sua igreja.

Envolva as pessoas

As igrejas transformacionais deixam os líderes liderar. Mas envolver os membros em oração, estudo bíblico e diálogo pode evitar a divisão resultante das divergências acerca de uma questão potencialmente divisora. Isso ocorre porque, quando Deus entra no processo, a divisão pode se converter em transformação.

A vontade de Deus não é algo que se decide por meio de votações secretas em uma assembleia eclesiástica. Lembre-se do que ele disse sobre suas ovelhas: "Minhas ovelhas ouvem a minha voz; eu as conheço, e elas me seguem" (Jo 10.27). Ele é quem dá o direcionamento.

Portanto, quando se envolver em diálogos, faça das questões da adoração uma escolha espiritual, e não musical. Conduza o debate em termos espirituais, e não musicais. O resultado poderá ser uma agradável surpresa — e você servirá de modelo dos valores e do processo de discernir a vontade de Deus sobre o assunto.

Estude as Escrituras

Procure definir os valores bíblicos que vão conduzir suas decisões quanto à adoração comunitária. É comum o debate se tornar emocional e centrado no ego, mas esse não é o caminho.

A conversa precisa girar em torno da pergunta "O que Deus deseja aqui e agora?". A jornada para descobrir a vontade de Deus deve incluir o estudo cuidadoso de sua Palavra. Estudar a Bíblia como grupo em busca de uma direção específica para um assunto determinado (por exemplo, a adoração) pode ser transformacional.

Morra para o eu

Podemos ser culpados por "definir perfis", mas todos já tivemos a mesma experiência de ir a igrejas tradicionais usando terno e gravata ao lado de adolescentes e famílias mais jovens, e ir a igrejas contemporâneas vestindo calça *jeans* e camisetas polo coloridas, juntamente com pessoas da terceira idade.

As igrejas que estão provando transformação morrem para suas preferências. O que é ainda melhor é que elas estão vivendo a preferência de Deus: ver as pessoas da comunidade entenderem a revelação divina e se submeterem a Cristo.

Analise a comunidade

Precisamos saber quem vive na comunidade em que nossa igreja está inserida. Pergunte-se quem Deus deseja que você alcance e qual é a linguagem cultural, étnica ou geracional do coração dessas pessoas. A música pode ser usada por Deus para abrir o coração de indivíduos e talvez até de uma comunidade inteira.

Faça novas perguntas

A pergunta velha é: "Que tipo de música seu povo prefere?". As perguntas novas são: "Como podemos levar as pessoas à presença de Deus?"; "Como podemos fazer aquilo que Deus nos chamou para fazer neste lugar e neste tempo?", "O que a Bíblia valoriza?". Dê condições a seus líderes de adoração para que comecem a fazer as perguntas certas, de forma que aprendam e cresçam com as respostas.

Concentre-se na revelação

Seja intencional quanto a gastar mais energia construindo experiências de adoração repletas de mensagens sobre o Messias do que debatendo preferências estilísticas. Em outras palavras, passe mais tempo naquilo que você está fazendo do que em como virá a fazer.

Planeje novas maneiras de avaliar

As pessoas estão sendo transformadas na adoração pública de sua igreja? Estão aprendendo como adorar de uma maneira que se transfere para sua vida? Estão observando as equipes de adoração e vendo os líderes servirem de modelo de adoração genuína? Respostas positivas a essas perguntas podem ser um sinal de que a adoração genuína tem sido parte real da vida de sua igreja local.

O dom da expressividade emocional do povo brasileiro

Durante a realização da pesquisa sobre as igrejas transformacionais no Brasil, foi preciso nos aprofundarmos em questões variadas acerca da cultura brasileira, para fins de contextualização dos princípios que regem uma igreja saudável e missional. Observamos, por exemplo, que a expressividade emocional do povo brasileiro é um elemento marcante da cultura do país, o que certamente tem implicações no culto cristão. Portanto, esse elemento não pode ser desconsiderado.

J. Merle Davis foi um dos primeiros missionários americanos a dar vital importância à expressividade emocional dos brasileiros. Ele chegou até a atribuir o crescimento de certas denominações no Brasil à oportunidade dada aos membros de expressar com mais naturalidade as suas emoções durante o culto. Em uma análise contundente, Davis afirmou, em 1943, que a igreja evangélica brasileira estava expandindo por dar espaço à expressividade emocional do povo brasileiro, caracterizado por um calor e um vigor de sentimentos que fazem com que os povos do hemisfério norte, como os americanos e os ingleses, pareçam lentos e inibidos.[6] Ele também pontuou que, embora esse calor de sentimentos seja mais evidente no Nordeste, é um traço presente em todo o país.[7]

Em um conselho polêmico, Davis sugeriu que as denominações históricas no Brasil, estabelecidas por missionários de culturas de "sangue mais frio", tinham muito o que aprender com os métodos empregados pelas igrejas nascidas em solo brasileiro, como as Assembleias de Deus, no que se refere a uma maior abertura para a expressividade emocional das pessoas.[8] Nessa mesma direção, o missionário americano e pesquisador da igreja brasileira William Read pontuou, em 1965, que os pentecostais de nosso país encontraram o segredo para dar expressão a essa natureza emocional básica do brasileiro em seus cultos.[9]

Mais recentemente, o missionário americano Danny Rollins, enviado pela Convenção Batista do Sul dos Estados Unidos, pontuou que o fervor presente nas igrejas pentecostais de nossa nação reflete de maneira mais clara a cultura latino-americana. Ele afirma que, assim que chegou ao Brasil, observou que as igrejas batistas tradicionais têm um perfil mais americano que brasileiro, algo que o deixou chocado, pois esperava um espírito latino. Porém, o que ele encontrou foi algo que, em sua opinião, não combina com a personalidade dos brasileiros.[10]

Alguns podem até questionar as observações feitas pelos missionários e taxá-las de meras caricaturas baseadas no senso comum. Entretanto, um estudo quantitativo realizado com universitários descobriu maiores níveis de expressividade emocional entre os estudantes brasileiros que entre os americanos.[11] Outro estudo quantitativo, que comparou a expressividade emocional de brasileiros e americanos, confirmou que, quando estavam nervosos ou com raiva, os brasileiros reportaram maiores graus de expressividade emocional do que os americanos.[12] Já o teórico organizacional holandês Fons Trompenaars e o filósofo inglês Charles Hampdem-Turner pontuaram que, na maioria das nações latino-americanas, essa forma "exagerada" de comunicação demonstra que os latinos põem o coração naquilo que fazem.[13] Também é importante mencionar que os missionários e pesquisadores Clayton L. Berg Jr. e Paul Pretiz observaram que as igrejas surgidas em solo latino-americano (que eles chamam de igrejas de base) refletem um espírito caloroso, espontâneo e expressivo em sua vida de adoração.[14]

Durante as entrevistas que realizamos com os pastores para nosso estudo — e embora não tenha sido feita nenhuma pergunta no sentido da existência ou não de expressividade emocional nos cultos de sua igreja —, a maioria deles fez comentários que apontam para uma maior expressividade emocional, mesmo em congregações mais tradicionais. Um deles disse: "Nos nossos momentos de adoração, batemos palmas. Eu diria que somos conservadores, mas somos cheios de alegria durante os cultos. É algo inspirador e feliz". Outro relatou: "Nós somos batistas tradicionais, mas com muita alegria nos nossos cultos; não como algum tempo atrás, quando não podíamos sequer bater palmas. Hoje, temos liberdade para adorar a Deus com decência e ordem".

Outro exemplo vem de uma igreja que passou por uma mudança na maneira de cultuar a Deus, dando mais abertura para a expressividade emocional dos membros. O líder relatou: "Quando eu me tornei pastor desta igreja, há onze anos, ela era muito tradicional, muito legalista em certas questões e as pessoas eram muito tolhidas em sua liberdade de expressar louvor e adoração a Deus. Hoje, pela graça do Senhor, temos uma igreja muito melhor nesse aspecto".

Reconhecendo uma tendência de acomodação e retração por parte dos pastores calvinistas mais conservadores, que pastoreiam o que ele chama de "igrejas minúsculas", o reverendo Augustus Nicodemus Lopes, uma das principais vozes da Igreja Presbiteriana do Brasil — denominação histórica que diminuiu de tamanho segundo o recenseamento de 2010 —, passou a "navalha na carne" ao criticar construtivamente seus colegas:

> Ao reagirem contra os excessos do pentecostalismo quanto ao Espírito Santo, muitos reformados se retraíram, temendo orar demais, emocionar-se demais, jejuar, fazer noites de vigília, pregar nas praças e ruas e pedirem a Deus que conceda um grande

> avivamento espiritual em suas igrejas. Só há um medo maior para os calvinistas que o de parecer arminianos: parecer pentecostais. Nesse ponto, jogamos fora não somente a água suja da banheira, mas o menino e tudo!”[15]

De fato, em muitas igrejas de origem americana e europeia, esse medo de expressar emoções não tem sido uma boa resposta aos erros e desvios da igreja brasileira. Afinal, pode significar uma luta inglória contra um traço tão belo que o Criador deu ao povo brasileiro: o dom da expressividade emocional. E, se falta sensibilidade a essa realidade cultural, pode-se estar pondo obstáculos ao desenvolvimento saudável de igrejas teologicamente firmes e coerentes que também sejam culturalmente relevantes para os lugares onde estão plantadas.

Nossa pesquisa identificou que tanto igrejas contemporâneas quanto tradicionais que podem ser chamadas de transformacionais valorizam a expressividade emocional nos cultos, pois são sensíveis a essa marca da cultura brasileira.

Conclusão

Quando a vida das pessoas é transformada pela presença e pelo poder de Deus, a adoração é genuína. Talvez sua igreja ainda venha a experimentar conflito em relação à música ou aos estilos de adoração. Se ela é como a maioria, isso vai terminar acontecendo. Prepare-se abraçando os valores da adoração bíblica. Ensine esses valores, para que, quando as decisões estilísticas ou metodológicas forem necessárias, a decisão seja tomada com base nos valores bíblicos, e não nas preferências da maioria.

Lembre-se de que, se o conflito surgir em sua congregação, abrace-o como uma oportunidade de aprender duas coisas: primeiro, que o dilema pode aprofundar a compreensão dos membros acerca da resolução bíblica de conflitos. A pergunta deve ser: “O que a Palavra de Deus diz sobre a maneira como o povo de Deus deve resolver conflitos?”.

A oração de Jesus por aqueles que viriam a crer nele no futuro foi que eles pudessem ser um para que o mundo acreditasse nele:

> Não te peço apenas por estes discípulos, mas também por todos que crerão em mim por meio da mensagem deles. Minha oração é que todos eles sejam um, como nós somos um, como tu estás em mim, Pai, e eu estou em ti. Que eles estejam em nós, para que o mundo creia que tu me enviaste.
>
> João 17.20-21

A segunda lição que podemos aprender do conflito é que, por mais apaixonados que sejamos por nossas preferências de estilo na adoração, existem questões mais importantes em jogo do que vencer debates e discordâncias. O mundo está assistindo. Homens, mulheres e crianças estão em jogo. A adoração em conjunto e a resolução de desavenças de maneira cristã são fundamentais para nossa missão de testemunhar transformação em nossa comunidade.

As igrejas transformacionais se envolvem com Jesus Cristo na adoração. Elas também envolvem as comunidades nas quais vivem de maneira relevante. No próximo capítulo, nos aprofundaremos justamente na importância de nos conectarmos às pessoas da comunidade em que nossa igreja está inserida.

8

Vida comunitária: a conexão de pessoas com pessoas

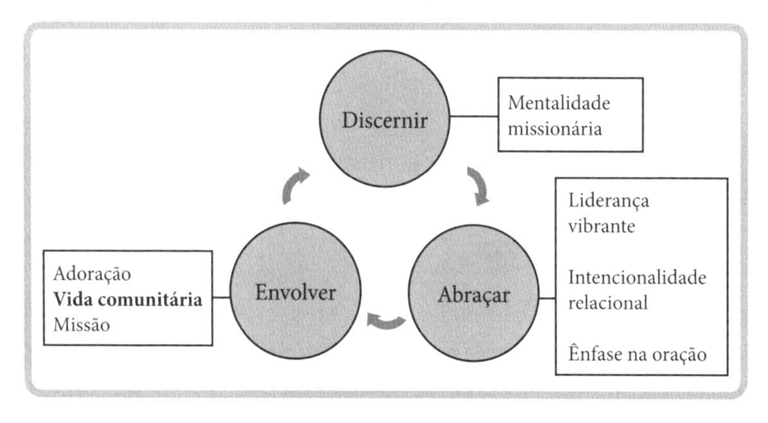

Eu, Sérgio, nunca me esquecerei de algo que aconteceu na nossa igreja em 2015. Eu estava em uma reunião com os presbíteros e percebi uma movimentação intensa dos adolescentes, como se quisessem esconder alguma coisa dentro das dependências do prédio onde realizamos os cultos. Curioso, perguntei ao líder deles do que se tratava e ele me disse, com muita felicidade, que um grupo de adolescentes resolveu abençoar um jovem que servia como voluntário no ministério. Esse jovem precisava se deslocar de muito longe, tendo que pegar dois ônibus, num trajeto de duas horas, para chegar antes do horário e organizar a programação do culto.

Conscientes do amor e do esforço daquele irmão, os participantes do seu grupo pequeno, que chamamos de Conexão, e alguns outros que foram envolvidos naquela surpresa, fizeram algo que eu nunca imaginei que adolescentes pudessem se preocupar em fazer: juntaram dinheiro durante meses, tirando da própria mesada, e compraram uma moto para presentear aquele rapaz. Ao ver aquela cena, chorei feito criança e louvei a Deus pelo nível de relacionamento existente entre aqueles adolescentes, algo que só o Espírito Santo é capaz de fazer. Naquela ocasião, testemunhei um pouco do que aconteceu no início da Igreja de Cristo, logo após o dia de Pentecostes.

Atos 2 apresenta um retrato notável de uma igreja relacional robusta. Aquela Igreja do primeiro século tinha um desafio: como conectar esses tantos novos convertidos uns com os outros por meio de relacionamentos significativos? Hoje, enfrentamos uma questão semelhante: como podemos "assimilar" os novos cristãos na igreja? A congregação deve ter um processo (orgânico e/ou sistematizado) por meio do qual as pessoas se conectem umas às outras e cresçam em Cristo. A Igreja de hoje precisa experimentar o que ousamos chamar de "regressão metodológica" na direção da Igreja de Atos 2.

Aquele grupo de cristãos era verdadeiramente orgânico. Não havia seminários, instrutores ou consultores, mas parecia haver um abraçar intencional da vida depois da conversão, tanto nas grandes reuniões quanto nos pequenos grupos. Eles viviam uma comunhão vibrante. Pelo fato de a vida ser um acontecimento diário, a igreja também deveria ser.

Contudo, nós tendemos a sair da comunhão neotestamentária evidenciada por relacionamentos profundos para uma comunhão baseada no palco e na *performance* dos "atores eclesiásticos". O grupo maior — que defendemos com veemência — não funciona bem como uma aplicação perfeita do cristianismo. Como podemos voltar ao ponto em que as pequenas comunidades são importantes?

Quando usamos termos como "pequenos grupos", "conexões", "grupos de crescimento ou células", estamos nos referindo ao sistema em que grupos mais restritos de pessoas se reúnem para fazer discípulos. Em muitas igrejas, a realidade desses grupos menores ocorre na Escola Dominical, em que classes se reúnem semanalmente nas dependências da igreja para estudo, encorajamento e evangelismo. Em outras congregações, os pequenos grupos se reúnem, com os mesmos propósitos, em lugares fora do templo. Um número crescente de igrejas usa um híbrido de grupos dentro e fora da propriedade da congregação. Seja qual for o nome ou o método, o ponto a destacar dessa prática transformacional é que, por meio desses ajuntamentos, os cristãos unem suas vidas com o propósito de amadurecer na fé e de se envolver na missão de Deus.

Mas não estamos falando apenas sobre reunião em classes ou em grupos. A igreja local não tem necessidade de um novo item no seu menu de programas. Cremos que a mudança de vida acontece melhor entre amigos — tanto novos quanto antigos. Chamamos isso de *comunidades pequenas*, mas são ajuntamentos que podem assumir diferentes formas. Algumas pessoas têm orgulho ou preferência por um modelo ou outro, mas devemos deixar a pesquisa conduzir os dados. A Escola Dominical, se for intencionalmente planejada com esse propósito, ou os pequenos grupos de uma igreja, fornecem esse ambiente. Quando unimos nossas vidas por meio de relacionamentos honestos, podemos incentivar os outros ao amor e às boas obras.

Viver em comunhão uns com os outros nos leva para longe de uma mentalidade de fortaleza isolada, a qual cria uma subcultura cristã. Em vez disso, estruturas que facilitem a comunhão criam uma "zona de segurança", onde os descrentes se sentem confortáveis para fazer perguntas difíceis e os crentes se sentem à vontade para encontrar o encorajamento de que precisam para crescer na fé.

A criação de um ambiente de comunhão e os estudos bíblicos em pequenos grupos são fundamentais para a criação de uma igreja transformacional. Em nossa pesquisa, isso foi evidenciado por meio da constatação de que, em congregações como essas, 97% dos membros concordaram forte ou moderadamente com a afirmação: "Os pequenos grupos são muito importantes em nossa igreja"; 78% deles concordaram forte ou moderadamente com o fato de que "Nossa igreja inicia novos pequenos grupos com regularidade"; e 84% concordaram forte ou moderadamente que "Os novos membros são imediatamente instruídos sobre a importância de viver em comunhão com outros cristãos".

Esses números são significativamente altos e mostram a centralidade da conexão nos relacionamentos por meio de pequenos grupos na vida de uma igreja transformacional. Descobrimos que tais congregações dão grande valor ao envolvimento das pessoas em comunhão por meio de pequenos grupos. Isso é tão importante que elas dão grande ênfase ao ato de fazer com que os novos membros se envolvam imediatamente nesses grupos — como classes da Escola Dominical, células de estudo bíblico nos lares, classes de discipulado e outros tipos de grupos pequenos.

Além de simplesmente saber que os pequenos grupos são importantes para a eficácia de uma igreja transformacional, descobrimos três ideias que os apoiam.

Primeiro, um grupo menor de pessoas fornece uma oportunidade maior de descoberta

O que dizem os líderes transformacionais

"Sou pastor de uma congregação com mais de 3.900 membros. Ao observar aqueles queridos irmãos, fico imaginando como poderia ajudá-los a crescer efetiva e profundamente na Palavra, como pastoreá-los em seus conflitos interiores, como ajudá-los a descobrir os dons espirituais, como encaminhá-los a um ministério pessoal, como desafiá-los a encarnar sua fé? Em suma, como ajudá-los a crescer de modo pleno? Inicialmente imaginei que o melhor a fazer seria a criação de um ministério colegiado, pois, com a multiplicação dos ministros, certamente alcançaríamos as metas da visão. À medida que o tempo passava, entretanto, descobri que a multiplicação dos ministros, segundo a visão de Deus, era superior à minha; para Deus, cada salvo é um ministro e pessoal. Ao se envolver em uma célula de comunhão ou numa classe de Escola Dominical, a dinâmica muda. Reuniões maiores são como o *showroom* de uma concessionária de automóveis, no qual verificações, curiosidades e valor da vida com Cristo são colocados à mostra para que a multidão possa ver. Mas, se a grande reunião for o *showroom*, então o pequeno grupo é o departamento de serviço, onde olhamos por baixo do capô de nossa vida e exploramos a fé em Cristo de maneira mais profunda. Ali, o diálogo substitui o monólogo. Perguntas difíceis sobre Deus, a Bíblia e Jesus são trabalhadas em comunidade. Além disso, o grupo pequeno também fornece uma plataforma para ajudar quem está enfrentando dificuldades. A realidade é que os relacionamentos desses grupos fornecem o ambiente para a transformação.

> um sacerdote de seu reino na terra. Embora eu sempre tivesse acreditado na doutrina bíblica do sacerdócio universal de todos os salvos, a questão era a implementação no dia a dia da igreja. As estruturas menores surgiram como forma de tornar viável a dinâmica e os valores da integralidade da igreja."[1]
>
> PASCHOAL PIRAGINE JR., pastor da Primeira Igreja Batista de Curitiba

Segundo, comunidades menores são apenas isto: comunidades. O modelo adotado pelas congregações para facilitar a comunhão bíblica não foi um fator decisivo no estudo da igreja transformacional. O tema comum em toda nossa pesquisa é que as igrejas transformacionais conectam as pessoas umas às outras por meio de relacionamentos, seja no formato que for, tenha a nomenclatura que tiver. Mesmo em situações de diversidade demográfica, as pessoas em pequenas comunhões encontram similaridade em seu desejo de conhecer mais a Cristo. Tendo sua vida como pano de fundo para a narrativa de semana a semana, elas aprendem juntas como Deus se conecta a todos os aspectos de seus dias. É uma jornada que carece de colegas de viagem.

Terceiro, os pequenos grupos são a melhor maneira de gerar genuína transformação de vida por meio da igreja local. À medida que pensarmos sobre a definição de uma célula de comunhão, é importante nos lembrarmos de seu objetivo: vidas transformadas. Mas um grupo qualquer de pessoas se reunindo não constitui um pequeno grupo transformacional. Seis pessoas se reunindo embaixo de uma árvore no fundo da sua oficina no trabalho não necessariamente formam um pequeno grupo. Por qual razão declararíamos o óbvio? Porque *a intencionalidade relacional é a chave dos pequenos grupos transformacionais.* Assim, quer a estrutura seja uma igreja com Escola Dominical, quer uma congregação baseada em células nos lares, a razão de as igrejas transformacionais enfatizarem a comunhão é a transformação de vidas.

Jesus tinha um pequeno grupo de doze homens. Não temos transcrições palavra por palavra de tudo o que eles disseram e fizeram durante os três anos que passaram juntos. Apenas as conversas que Deus decidiu que precisávamos ouvir foram apresentadas nos Evangelhos. Mas não há dúvida de que eles conversaram, riram e fizeram refeições juntos, além de terem enfrentado desafios. Juntos, eles lidaram com pesar, doença, cansaço e fome. O que foi tão transformacional nesse relacionamento? Tudo! Aqueles homens experimentaram de tudo com Jesus e uns com os outros, desde mares tormentosos a estômagos roncando de fome. Os apóstolos de Cristo não estavam apenas vivendo juntos, mas estavam vivendo juntos *com Jesus.*

Os quatro mitos sobre as comunidades menores

Os pequenos grupos exigem um trabalho enorme, e pode ser difícil implementá-los de maneira eficiente. Por conta de mitos sobre como funcionariam melhor, eles costumam enfrentar dificuldades para ser bem-sucedidos e transformacionais. Vamos analisar mais detidamente quais seriam essas crenças equivocadas.

Mito 1: a configuração atual do seu pequeno grupo é permanente

A configuração do pequeno grupo de Jesus durou apenas três anos. Nossas células atuais são descendentes diretas daquela primeira e não devem ficar presas sempre à mesma configuração, que mudou depois da ascensão do Senhor.

Novos agrupamentos foram desenvolvidos. Novas pessoas foram introduzidas nos grupos. E isso ocorreu porque um grupo transformacional é aquele que se ajusta conforme a necessidade para incentivar tanto o crescimento do grupo quanto o de seus membros. Assim como você rearranja a mobília da sua casa para se acomodar às mudanças da vida, um grupo se ajusta para poder se acomodar às mudanças na comunidade ou na igreja.

A estrutura de comunhão de uma igreja transformacional é dinâmica. Já a estrutura na maioria das igrejas é estagnada. Como já vimos, nas comunidades transformacionais, 78% dos membros concordam forte ou moderadamente com a ideia de que a igreja inicia novos grupos com regularidade. Para que a comunidade seja transformadora, novas pessoas devem ser constantemente recebidas na comunhão.

Mito 2: os locais de reunião dos pequenos grupos estão limitados às dependências da igreja ou aos lares

Se os pequenos grupos forem transformacionais, a matemática é simples: mais grupos é igual a mais transformação de vidas. Quem deseja ter uma igreja onde vidas sejam verdadeiramente transformadas precisa saber que os pequenos grupos podem se reunir no trabalho, em escolas, cafeterias e clubes, ou debaixo de uma árvore em um parque. Com possibilidades ilimitadas quanto a tempo e local da comunhão dos pequenos grupos, as igrejas transformacionais alavancam qualquer reunião para que produza mudança de vida!

Mito 3: o líder deve ser um "superstar" altamente treinado

Mais do que qualquer outra característica, o facilitador de um pequeno grupo transformacional precisa ter amor pelas pessoas. Claro que precisa de comunicação, recursos e encorajamento, mas, acima de tudo, ele deve amar a Deus e a obra divina em cada indivíduo.

A definição de um padrão elevado demais para as habilidades de ensino pode ser contraproducente para a estrutura de pequenos grupos, pois poderia limitar quantos grupos se pode multiplicar. O objetivo do "ensino de excelência" deve ser substituído por "ensinamento eficiente", que se baseia em levar os participantes de onde eles estão hoje para um ponto futuro desejado, à medida que todos crescem tendo Jesus como padrão.

Se o seu padrão for muito elevado, isso vai desencorajar o desenvolvimento dos futuros líderes. Se todos os professores forem teólogos com treinamento básico, então a mensagem enviada para os futuros líderes de grupo é "os não teólogos não precisam se apresentar". Líderes de grupo em potencial se sentirão desqualificados e hesitarão em assumir o papel de liderança. Se estamos buscando transformação, então devemos procurar pelo potencial que está em um líder cuja paixão pela transformação é aparente e cuja habilidade possa ser desenvolvida ao longo do caminho.

Se o objetivo de seus grupos for a transformação de vidas, recrute aqueles que mostram um padrão claro e atual de mudança na própria vida e que amem conhecer e aplicar as verdades teológicas. Os marcadores de um ótimo líder de pequenos grupos são simples e podem ser encontrados em Lucas 10.27: "'Ame o Senhor, seu Deus, de todo o seu coração, de toda a sua alma, de toda a sua força e de toda a sua mente' e 'Ame o seu próximo como a si mesmo'". Se um líder de pequeno grupo caminhar perto de Deus, então ele se concentrará nos objetivos adequados para o grupo.

Definir o padrão para as habilidades de ensino em um nível muito alto fará com que os membros escolham os grupos com base no líder. O lado obscuro de recrutar apenas os líderes *superstars* é reforçar a mentalidade de obsessão pela celebridade dentro da igreja. Nossas comunidades pequenas devem sentir um anseio profundo por ver todas as vidas transformadas, e não um deleite pessoal proporcionado por uma aula impressionante semana após semana. Quando as pessoas escolhem frequentar um grupo em particular simplesmente por causa do líder, gera-se uma competição perniciosa entre os grupos e suprime-se o impulso missional para a multiplicação. Afinal de contas, quem deseja se mudar para um novo grupo quando o maior crânio da igreja é o seu professor atual?

Não estamos sugerindo que todos os padrões para os líderes de pequenos grupos sejam descartados. O que pedimos é que você pense sobre onde deve colocar o limite que comunica a razão para a busca de comunhão e multiplicação de discípulos no Corpo de Cristo.

Mito 4: apenas pastores são qualificados para administrar o cuidado pastoral

À medida que a igreja cresce, a equipe remunerada é incapaz de atender a contento às necessidades pastorais diárias. Mas as pessoas ainda precisam ser tocadas com graça e misericórdia e, às vezes, ser admoestadas em sua caminhada cristã. Infelizmente, muitas igrejas adotaram o modelo de clericalização do ministério. Elas consideram que missionários são as pessoas supremamente espirituais que vão aos rincões longínquos para pregar. O pastor e a equipe são os próximos na escala de importância, e eles são pagos para fazer o ministério local. Em seguida, existe o resto de nós, os que "pagamos, oramos e assistimos". O único problema é que esse não é um sistema bíblico.

Nas igrejas transformacionais, descobrimos que seus líderes voluntários realizam o cuidado pastoral da membresia da igreja. Nessas congregações, 82% dos membros concordam forte ou moderadamente com a afirmação: "Quando as pessoas são conectadas a um pequeno grupo em nossa igreja, elas são ministradas e cuidadas".

As igrejas que praticam a comunhão transformacional esperam que o ministério ocorra mesmo que uma pessoa sem o título "pastor" esteja presente. Deus sabia que todos nós precisaríamos de uma forma de cuidado pastoral e, assim, formou o Corpo de Cristo com os dons e as habilidades necessários para compartilhar graça de uma pessoa para outra. Não é exigido nenhum diploma profissional, mas os pequenos grupos transformacionais estão repletos do ministério vivo de uns com os outros.

Os cinco resultados das comunidades menores

Muitas igrejas optam por pequenos grupos fora de suas dependências porque acreditam que o modelo se encaixa no contexto de um novo tempo ou porque não têm condições de construir um número suficiente de dependências físicas. Outras fazem uso da Escola Dominical porque acreditam que ela seja mais eficiente. Este é um bom momento para repetir que um grupo é... um grupo! Chame-o da maneira que você quiser, reúna-se onde e quando desejar. O importante é que o grupo produza para a missão de Deus e para a causa de Cristo.

Os resultados de uma conexão pessoal com um grupo menor de cristãos são impressionantes. Não estamos sugerindo que os pequenos grupos sejam perfeitos, nem fáceis. Aqui está um pequeno e sórdido segredo para aqueles que acreditam que as células nos lares são "um estilo de vida que supera os demais": os pequenos grupos podem ser motivo de muita dor de cabeça. Onde quer que aconteçam, há muito trabalho envolvido para que funcionem bem.

Eu, Ed, acredito na comunidade pequena não porque sempre gostei dela. Já estive em pequenos grupos em que fui confrontado, encontrei conflitos ou cuja vitalidade foi arrancada deles por conta de problemas. É mais fácil sentar-se nos bancos com o rosto voltado para a frente, assistindo ao que acontece no palco (um modelo de entretenimento de reuniões públicas de adoração). Mas essa é uma religião fácil, que não encontra respaldo na Igreja do Novo Testamento. É fácil assistir ao *show*, mas é bíblico reunir-se em comunidades pequenas e viver em missão. Deus nos criou para a comunhão. Uma pequena comunidade que tem uma grande missão para a glória de Deus e para a redenção das pessoas do mundo é uma comunidade que vale a pena. Diante disso, qual é a razão de ser das comunidades menores? Vamos analisar como a ação da comunidade resulta em vidas transformadas.

Comunidades menores produzem amizades mais profundas

Todos temos a necessidade de pertencer a um grupo no qual todos sabem o nome uns dos outros. Ao mesmo tempo que nossas igrejas continuam a ficar maiores, elas devem também ficar menores, a fim de conectar as pessoas em um nível transformacional. Pode ser que não gostemos de admitir, mas sabemos quando somos conhecidos, e gostamos que seja desse jeito. Dizem que o próprio nome é a palavra mais doce do mundo para cada indivíduo. Nada é mais pessoal e singular; nada gera uma resposta mais rápida ou mais emocional.

Para que a transformação aconteça, devemos conhecer e investir em relacionamentos. Ao se juntar a outros cristãos em comunidades no formato de pequenos grupos, os crentes podem encontrar o ambiente em que a transformação de vida ocorre mais prontamente.

Comunidades menores produzem relacionamentos de prestação de contas

Os grandes grupos fornecem inspiração e informação, mas também superabundância de anonimato. Esse anonimato é uma mão na roda quando você não aparece ou não se envolve. O grande grupo fornece cobertura para que a pessoa não contribua, não sirva, não ore e não convide outros. Somos apenas mais um rosto na multidão. Quem vai saber? A prestação de contas está ausente na grande reunião.

O bem mais valioso numa comunidade menor é a pessoa sentada ao lado. Nossa vida se torna uma narrativa semanal, feita para os outros, sobre a fidelidade de Deus. Conectar-se a um pequeno grupo de amigos significa que deixamos nossa roupa de anjo junto à porta de entrada. A vida em prestação de contas numa classe ou em um grupo nos ajuda a viver a transformação proporcionada por Cristo.

Se nosso desejo é sermos missionais, nossa vida deve honrar aquele que nos enviou. Numa igreja em que eu, Ed, servi, um casal veio a mim e relatou:

— Pastor, decidimos nos divorciar.

— Não! — disse eu.

— Não viemos pedir permissão — disseram eles.

Foi quando lhes expliquei que havíamos decidido viver a vida juntos, em uma comunhão bíblica. Nossas vidas são mais moldadas pelo evangelho porque é por ele que prestamos contas uns aos outros. Tornamo-nos um sinal do reino de Deus. Relacionamentos de prestação de contas levam a igreja a se parecer mais com o reino de Deus; assim, ela pode viver em missão.

Pode soar um pouco estranho, mas a igreja local precisa de mais provocação. Lemos o seguinte na Bíblia: "Pensemos em como motivar uns aos outros na prática do amor e das boas obras. E não deixemos de nos reunir, como fazem alguns, mas encorajemo-nos mutuamente, sobretudo agora que o dia está próximo" (Hb 10.24-25). A versão King James, em inglês, usa a palavra equivalente a *provocar* em lugar de *motivar*. Gostamos da palavra "provocar" porque ela parece um pouco mais agressiva — obviamente em um sentido positivo e cristão. Nossa natureza é sermos pecadores e nos afastarmos de Deus e de seus propósitos. Precisamos de um pouco de provocação positiva para que nos mantenhamos no caminho pela prestação de contas aos amigos.

Assim, os pequenos grupos não podem ser simplesmente mais um programa oferecido àqueles que estão interessados nesse tipo de ajuntamento. As comunidades menores devem ser parte de um propósito de estimular uns aos outros em nosso compromisso cristão.

Comunidades menores geram ambientes para crescimento espiritual

As pessoas que não frequentam uma igreja, as que já frequentaram e as que não param em uma congregação estão procurando entusiasmo, energia e criatividade. No entanto, igrejas nunca foram muito boas em produzir ambientes interessantes aos domingos. Mas a conexão relacional e a transformação de vida em pequenos grupos as levarão para além do nível do espectador.

Do mesmo modo, o que atrai as pessoas não se traduzirá em transformação pessoal, ainda que elas compareçam diversas vezes ao templo. Inicialmente, elas podem se sentir confortáveis, apenas desfrutando e se envolvendo de longe, mas algo deve fazer com que estejam mais engajadas na ação. Na maioria das igrejas, os novos frequentadores veem apenas as múltiplas camadas de estrutura e pouco espaço relacional. Conectá-las a uma comunidade pequena é fundamental para sua jornada espiritual.

Muitos santuários são planejados da mesma forma. Vemos os assentos dispostos de maneira ascendente a partir do palco, de modo que todos se sintam próximos do que acontece. Essa tem sido a prática normal ao se projetar igrejas. Mas existe um efeito colateral não intencional nisso: essa formatação deixa implícito que a ação está na plataforma e que as pessoas nos assentos estão ali para "torcer e se divertir com o jogo". Os frequentadores são os fãs e os líderes de torcida; os jogadores são os pregadores e os músicos.

Nas igrejas transformacionais não há arquibancadas; tudo é campo. Os pequenos grupos servem para ajudar as pessoas a mudar, crescer e se tornar mais semelhantes a Jesus. Uma comunidade menor nos coloca no vestiário e no campo, usando a camiseta do time. A ação de fato exige energia e se soma às ocupações de nossa vida. Mas ação é aquilo que Deus usa para ir mais fundo na vida das pessoas e para mantê-las envolvidas nas coisas do reino.

Comunidades menores geram a participação máxima

Os pequenos grupos transformacionais exigem mais do que simples comparecimento. Os frequentadores devem assumir a responsabilidade pelo funcionamento de longo prazo do grupo. Quanto mais as responsabilidades puderem ser distribuídas, mais saudável se torna o grupo. Cremos nas comunidades pequenas que dão um trabalho a cada um. Líderes de oração, recepcionistas, líderes de comunicação, facilitadores e líderes de missão à comunidade são apenas algumas das oportunidades de trabalho em um pequeno grupo. Normalmente, os trabalhos nas células são simples e não exigem conhecimento ou experiência. O grupo pertence ao grupo. Quando alcançamos participação máxima, obtemos comprometimento máximo de cada um com a missão de Deus. Isso é importante.

As pessoas precisam sair da posição de espectadoras sentadas nos bancos para se tornar participantes sentados em círculo. Ao sentar-se em fileiras, você está assistindo a outra pessoa usar seus dons. Você é mais um espectador passivo do que um participante ativo. Os pequenos grupos ajudam as pessoas a sair das fileiras para os círculos e destes para o mundo.

Comunidades menores produzem oportunidades missionais

Os pequenos grupos de sua igreja devem ser mais do que grupos sociais ou de estudo. Se eles são comunidades bíblicas, algo mais precisa acontecer. Eles devem estar cheios de pessoas com mentalidade missionária, prontas a se envolver na missão da igreja. A missão fornecerá o elemento de conexão para o grupo.

Como dissemos anteriormente, o grupo e as classes servirão para ministrar aos membros. Mas, para mantê-los sempre se transformando a fim de se parecerem mais com Jesus, deve ser-lhes dada a oportunidade de ajudar a comunidade a refletir o reino de Deus. O objetivo de um grupo deve ser a multiplicação de discípulos para Jesus.

Os quatro obstáculos enfrentados pelas pequenas comunidades transformacionais

Infelizmente, os ministérios de pequenos grupos enfrentam obstáculos que impedem a transformação em pequenas comunidades e por meio delas. Veremos a seguir quais são os principais entraves identificados por nossa pesquisa.

A transferência de informação é muito mais valorizada do que a transformação de vida

O analfabetismo bíblico é um problema grave na igreja. Mas o trabalho de um pequeno grupo ou de uma classe da Escola Dominical não termina quando todos os membros conseguem encontrar Tessalônica no mapa impresso nas últimas páginas de sua Bíblia. O propósito da comunidade deve ser produzir o desejo de ver os efeitos da transformação.

Em algum lugar entre o conhecimento bíblico e a minúcia bíblica, encontramos a maturidade espiritual. O conhecimento envaidece e não pode ser o único objetivo. A transformação inclui aprendizado bíblico, mas não termina nele.

O ensino é mais valorizado que o aprendizado

Já destacamos o perigo de recrutar os superqualificados como líderes de classes e de pequenos grupos. O objetivo deve ser que as pessoas estejam aprendendo alegremente, e não que uma pessoa esteja alegre por ensinar. Os líderes devem se concentrar tanto na aplicação da verdade quanto na entrega dela. Para que sejam transformacionais, os pequenos grupos devem incluir monólogo e diálogo.

Os líderes de grupos devem sempre ter estas duas perguntas em mente: "Quão bem as pessoas estão aplicando a verdade de Deus?" e "Em que ponto está o envolvimento de cada participante com Deus?". Lembre-se de que o propósito é que Cristo seja formado na vida daqueles que estão envolvidos em seu pequeno grupo.

A segmentação da missão de Deus

A missão das pequenas comunidades não é apenas ensinar a Bíblia. Todas as expressões da igreja estão ligadas à missão plena de Deus, na qual suas comunidades menores também devem estar envolvidas. O perigo da segmentação é grande e muitas vezes as comunidades menores acreditam que *seu* propósito é apenas fazer o estudo. A realidade é que todo pequeno grupo precisa abraçar a missão de Deus, ir e se conectar.

Há uma pequena igreja pentecostal localizada em uma estrada de terra no estado americano do Mississippi. O prédio tem mais ou menos o tamanho de uma garagem para dois carros. Eu, Ed, estava viajando quando passei pelo Centro Pentecostal de Evangelismo, igreja que comportava no máximo 25 pessoas sentadas. Contudo, a placa que anunciava sua identidade às pessoas da comunidade era tão grande quanto a igreja, com três metros de largura por dois e meio de altura. Fiquei tão inspirado que tive vontade de tirar uma foto. A igreja estava certa: eles, assim como toda congregação, devem ser um centro de evangelismo mundial.

A missão de Deus pertence a todo cristão, em todo lugar. As igrejas transformacionais entendem que a missão de Deus deve estar presente no DNA de todo pequeno grupo. As classes da Escola Dominical devem entender que a formação de discípulos é sua responsabilidade e seu privilégio. Os pequenos grupos nos lares devem ser comunidades transformadoras e ver isso como a sua principal atividade. Todos participamos da missão, e os pequenos grupos de uma igreja podem e devem ser fomentadores dessa missão.

A falta de intimidade

Usamos o termo "comunhão" de maneira abrangente, mas o fato é que existem múltiplos níveis de comunhão. Em um sentido amplo, ela ocorre em torno de interesses comuns. O exemplo mais concreto de comunhão é a sua vizinhança. Pode ser que você não tenha conversas significativas com os vizinhos, muito embora vivam na mesma rua há anos. De maneira geral, se acontecerem vários arrombamentos no seu quarteirão ou alguma outra crise na vizinhança, você começará a falar com eles. Vocês agora compartilham um interesse comum: a segurança de sua propriedade particular. Embora novas amizades possam começar por causa do interesse mútuo e de conversas relativas a ele, você só estará experimentando comunhão em um nível muito raso.

O próximo nível de comunhão é crítico para que um grupo menor se torne transformacional. A palavra é *communitas*, termo em latim que designa uma entrada ou um espaço onde compartilhamento e conversa mais profundos acontecem. A dinâmica de um nível mais profundo de compartilhamento não é automática. O grupo menor se torna uma zona segura onde perguntas e dificuldades mais densas podem ser discutidas. O ambiente é descontraído e aberto. As pessoas podem orar umas pelas outras nesse momento ou interceder mutuamente, fora das salas de estar e dos horários de reunião. Ações e prestação de contas acontecem espontaneamente. Cristo é formado nos membros por causa do ambiente que Deus cria no grupo, e não apenas porque houve uma reunião.

Os cinco elementos do ambiente de um pequeno grupo transformacional

O ministério de pequenos grupos é, por natureza, orgânico. Em geral, todos os relacionamentos duradouros ocorrem porque as pessoas se sentem naturalmente atraídas a ficarem juntas. Contudo, observamos que as igrejas transformacionais são intencionais sobre a construção de comunhão por meio de elementos específicos. Percebemos que os cinco elementos apresentados a seguir são vistos regularmente em pequenos grupos transformacionais.

Ênfase na missão

O foco deve ser direcionado para juntar-se a Deus em sua missão. Cada grupo precisa de uma missão além de si mesmo. Lembre-se de que todo cristão nascido de novo é responsável pelo mundo. O crescimento e a maturidade acontecem tanto na missão quanto no conhecimento. Quanto mais você pode aprender sobre a missão? Como você pode dizer que está crescendo e amadurecendo em sua fé se não está em missão?

Grupos pequenos que se voltam apenas para si mesmos e não se preocupam com o evangelismo ou com o serviço amoroso ao próximo correm o risco de se tornar meros clubes sociais.

Mentalidade conduzida pela Palavra

Compartilhar é importante para o grupo ir mais fundo. Contudo, a âncora de um pequeno grupo transformacional é a Palavra de Deus. Tudo começa e termina com a Palavra de Deus. Ela se torna relevante para qualquer desafio ou discussão. Uma ótima pergunta de reestruturação para o grupo é: "Qual palavra dita por Deus pode ser usada para tratar a questão?". Além dessa, há outras complementares, como: "Há algum exemplo nas Escrituras de alguém que tenha enfrentado uma questão semelhante?"; "Como essa pessoa reagiu?" e "Como isso funcionou para ela?".

À medida que os discípulos de Jesus compartilham sua vida com ele, vemos uma conversa contínua. Os discípulos eram necessitados e, por isso, suas necessidades eram constantemente o tópico da conversa. Contudo, Jesus não deixou que as necessidades do grupo dominassem. Em vez disso, ele ensinou sua verdade com o propósito de manter os integrantes daquele pequeno grupo voltados para o reino que traz transformação, em vez de para a opinião humana, que sabota a mudança.

Mentalidade de multiplicação

Os grupos precisam entender desde o princípio que seu propósito é se reproduzir. Aprendizes de líder de grupo devem compartilhar responsabilidades com o líder e se preparar para lançar o próximo grupo pequeno. Isso não apenas ajuda os grupos a permanecerem fluidos e flexíveis, mas também faz a vida em grupo se tornar mais acessível a pessoas de fora.

A multiplicação costuma ser reprimida em muitas igrejas em razão de um sistema de castas no ministério. Com o passar do tempo, a igreja desenvolve um sistema de três camadas que define quem pode fazer o quê. A camada inferior é o laicato, a quem é atribuído fazer o trabalho pesado, participar dos programas e seguir as ordens dos líderes. A segunda é a camada dos ministros profissionais: pastores e funcionários da igreja, com treinamento especializado, recebem posições de liderança. A camada final é a do missionário. É reservada para os "superespirituais", que são tidos quase como santos padroeiros.

As igrejas transformacionais escolheram colocar o ministério e a liderança na vida de todos. Elas entendem que o padrão do Novo Testamento é que os cristãos encontrem seu lugar no Corpo de Cristo e sirvam à missão do reino. Nosso estudo mostrou que, nas congregações classificadas como transformacionais, 85% dos membros concordaram forte ou moderadamente com a afirmação: "Diminuímos a distinção entre 'clero' e 'leigo' e incentivamos todos a ministrar"; 83% com "Espera-se que os membros da igreja sirvam em um ministério da nossa igreja"; 90% com "Nossa igreja honra e celebra o trabalho dos nossos voluntários"; e 88% com "Servir é considerado um comportamento normal em nossa igreja".

A multiplicação pode acontecer na igreja por meio da liderança de alguns poucos membros do clero profissional. Mas essa multiplicação é muito menor em comparação à que ocorre em uma igreja transformacional que libera seus membros para liderar e servir no ministério de transformar uma comunidade.

Recepção aos estranhos

Os grupos pequenos devem estar sempre preocupados com a cadeira vazia. A intencionalidade é fundamental aqui. As células não recebem novas pessoas tão bem quanto pensam. Um ambiente receptivo vai além de um cumprimento caloroso e de orientações sobre como chegar à mesa de comida. Conforme vão ficando mais concentrados em si próprios, os grupos deixam pouco espaço relacional para a entrada confortável de outras pessoas.

Foco no reino

A tendência natural é que, se forem deixados soltos, com o tempo os grupos pequenos comecem a se desviar para águas nada saudáveis. Eles se tornarão obcecados pela igreja, como resultado de pensar pequeno, algo que limita aquilo que Deus realmente quer. Os grupos podem ser vistos por membros bem-intencionados como aquela coisa que "torna nossa igreja melhor que as outras". Além disso, passarão a achar que "o nosso grupo tem a ver comigo", isto é, que ele serve apenas como suporte emocional pessoal.

No entanto, os grupos precisam girar em torno do reino de Deus, algo muito maior do que a igreja ou o *eu*. Eles devem encontrar seu propósito além do apoio emocional, a fim de serem, de fato, parte significativa do plano de Deus para promover grandes transformações.

Conclusão

Ao olharmos para os grupos menores nas igrejas transformacionais, observamos padrões importantes. Os grupos são diversificados e predominantemente dirigidos por leigos; alguns são voltados para estudo; outros são mais relacionais. Contudo, em todo contexto e modelo há exemplos de mudança de vida significativos, além do cumprimento da missão de Deus.

Surge um princípio claro: o cristianismo bíblico não pode ser vivido apenas por meio da experiência do grupo maior. O monólogo deve dar mais lugar para o diálogo. O estudo da Bíblia tem o poder de iniciar processos de maturidade dentro do grupo, à medida que os participantes têm a oportunidade de ser exortados, fazer questionamentos e compartilhar experiências que confirmam os princípios bíblicos estudados.

Toda essa transformação acontece no contexto de um relacionamento com Deus e com os irmãos. Não é à toa que Deus escolheu usar palavras como "corpo", "casa" e "família" para descrever a igreja. Ele quer que tenhamos relacionamentos profundos e verdadeiros como é o relacionamento entre o Pai, o Filho e o Espírito Santo. O Deus da Bíblia é uma verdadeira comunidade.

Já vimos que os membros de igrejas transformacionais se envolvem com Deus em adoração e se envolvem uns com os outros em uma autêntica comunidade. Mas eles também se envolvem com o mundo, em missão. E esse é o assunto do próximo capítulo.

9

Missão: mostrar Jesus por palavras e ações

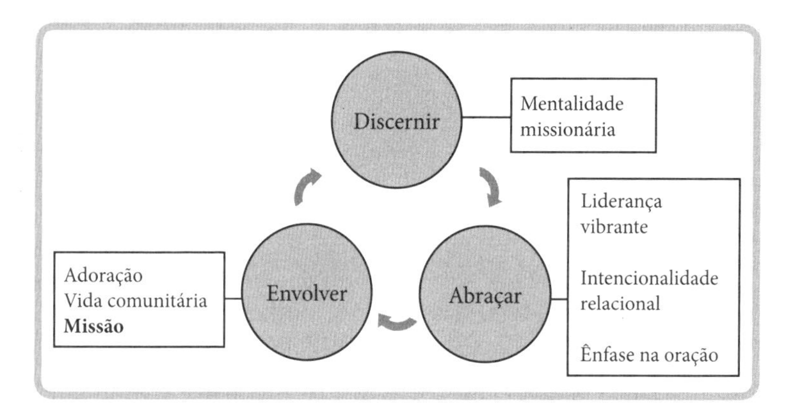

Eu, Ed, conheci Sérgio Queiroz, em 2011, em uma sala de aula da Trinity Evangelical Divinity School, em Deerfield (EUA), durante um curso que ministrei no programa de doutorado sobre igrejas missionais. Ele era um dos alunos. Depois de conversarmos sobre a situação da igreja brasileira, Sérgio me convidou para pregar na sua igreja, a Cidade Viva, e tive a oportunidade de ver que ali aconteciam muitas coisas especiais.

A Cidade Viva tem tentado exercer um importante papel na Paraíba e está completamente engajada com exposição bíblica, evangelismo, justiça social, treinamento de liderança, inovação, ensino fundamental, ensino médio, educação superior e muitas outras atividades relacionadas às questões contemporâneas. É também importante mencionar que está posto na declaração de visão da igreja o desejo de ajudar outras igrejas a viverem a missão com fidelidade bíblica e relevância sóciocultural nos contextos em que estiverem plantadas.

Uma das ações que me chamaram a atenção foi um acordo firmado entre a Fundação Cidade Viva e o Conselho Nacional de Justiça, com a participação do Tribunal de Justiça do Estado, que autoriza a igreja, entre outras coisas, a realizar cursos profissionalizantes com presidiários e a criar oportunidades de emprego para quando eles deixam o sistema prisional. A igreja também está presente em oito dos onze abrigos de crianças da capital paraibana e trabalha na recuperação de dependentes químicos. Não é à toa que, desde que Sérgio assumiu o pastorado, em 2004, até agora, essa comunidade cresceu de 80 para 8.000 pessoas. Quando escrevi o livro *Subversive Kingdom*, em 2012, mencionei algo que me impactou na Cidade Viva:

> Enquanto escrevo este livro, meu amigo Sérgio Queiroz, da Cidade Viva, está liderando a sua igreja para que os membros escrevam uma carta para cada prisioneiro do seu estado. Depois de obter uma lista com os nomes dos presidiários, ele e milhares de outros — pessoas debaixo do senhorio de Jesus — estão sentados para contar a cada prisioneiro sobre a graça e o amor de Deus por meio de cartas escritas à mão. Por quê? Eles vivem para o reino de Deus.[1]

Vale mencionar que a igreja promove a cada ano o chamado *Godstock*, evento que durante todo o mês de novembro realiza dezenas de ações de amor pela cidade. Esse movimento, que reúne cerca de 1.500 voluntários, tornou-se tão relevante que a câmara dos vereadores de João Pessoa aprovou uma lei que estabelece o *Godstock* como parte do calendário oficial de eventos da cidade. Menciono tudo isso para afirmar que a Cidade Viva é uma igreja com uma forte mentalidade missionária, totalmente engajada na missão de Deus.

Pontes como as criadas pela Cidade Viva ajudam as pessoas a cruzar barreiras e conhecer o evangelho de Cristo. Os missionários sempre destacam a importância de encontrar conexões com a cultura para ajudar pessoas a se conectar umas com as outras de modo que possam ter conversas naturais, como fazem no seu espaço pessoal. As pontes são diferentes de uma cultura para outra, pois dependem do contexto.

Mais uma vez, o testemunho do que está acontecendo na Igreja Batista Central de Fortaleza é digno de nota. O pastor Armando Bispo compartilhou conosco acerca do impulso missional de sua igreja e como ela tem construído pontes para alcançar a cidade por meio dos grupos pequenos missionais:

O que dizem os líderes transformacionais

"Na história, não poucas vezes aqueles que já ouviram, compreenderam e acolheram o evangelho de Deus tornam-se resistentes à ideia de usarem sua vida e seus recursos no propósito de envolver outras pessoas no mesmo evangelho. Gradativamente, a igreja é transformada numa associação religiosa dedicada a organizar atividades de entretenimento e enriquecimento cultural de seus membros, e os que não pertencem ao grupo deixam de ser o alvo do interesse da igreja para se tornarem na grande ameaça a ela."[2]

Ricardo Agreste, pastor da Igreja Presbiteriana Chácara Primavera

Com relação à cidade, há algo de maravilhoso que Deus está fazendo, algo sobre o que nem temos mais controle, porque cada pequeno grupo está em missão. Quando você dá aos indivíduos a responsabilidade por seu próprio crescimento e a obrigação de desenvolver a missão, Deus cria uma poderosa sinergia, e o evangelismo e a ação social acontecem por meio dos grupos pequenos, algo que nós nem imaginamos e de cujos resultados só ouvimos falar. Há grupos pequenos entrando em condomínios fechados, salões de festas, presídios. [...] Estamos vivendo um momento muito, muito poderoso em nossa cidade.

Eu, Sérgio, preguei em uma conferência na Comunidade da Graça, em São Paulo (SP), pastoreada pelo pastor Carlos Alberto Bezerra. Durante os anúncios, foi convidado para subir na plataforma um grupo de voluntários da igreja que servem em um dos presídios da cidade. Eles testemunharam sobre como aquele trabalho tem trazido dignidade básica para os detentos e como o evangelho de Cristo tem sido recebido por eles. O resultado é que eles estavam levando, naquela semana, uma piscina inflável para dentro do presídio, com o objetivo de batizar treze pessoas. Isso é ser, literalmente, uma igreja que sai das suas fortalezas e se conecta com o mundo por meio de pontes de amor e serviço.

As igrejas transformacionais brasileiras falam sobre Jesus por meio de palavras e ações. Elas encorajam o compartilhar da fé no dia a dia de cada membro e criam espaços seguros para conversas focadas nas boas-novas. Em outras palavras, elas compartilham a visão de que cada membro é um missionário.

Envolvimento na missão

As igrejas transformacionais descobriram uma maneira de fazer com que a convergência de valores e atividades resulte em vidas transformadas. Sem esse elemento-chave, o restante do trabalho não significa muita coisa. A razão para a existência da Igreja é aumentar a fama de Deus por meio da redenção das pessoas. Com isso em mente, voltamos nossa atenção para a maneira como as igrejas transformacionais cumprem a missão da Igreja de fazer discípulos que se juntem a Jesus em missão.

As igrejas transformacionais envolvem as pessoas em ministério, dentro da igreja, e em missões, fora da igreja. Uma das primeiras lições aprendidas sobre uma igreja com práticas transformacionais é que, para seus membros, o evangelismo é uma parte natural da vida, pelo fato de a evangelização ocupar uma posição central no coração da igreja. A igreja tomou a decisão consciente de relacionar sua existência à missão de Deus de ver pessoas sendo reconciliadas por intermédio de Cristo. Algumas tiveram treinamento em evangelismo e participaram de eventos evangelísticos de massa. Muitas não. Mas todas apresentam paixão evangelística.

As igrejas transformacionais identificadas em nosso estudo estavam menos envolvidas em treinamento formal de evangelismo, embora fossem claramente evangelísticas. Contudo, cremos que o treinamento formal tem o seu valor, pois preparar pessoas no conhecimento do evangelho e na defesa da fé é cada vez mais necessário nos tempos da pós-modernidade ou da pós-verdade. Contudo, a pesquisa mostrou que as igrejas transformacionais confiam menos em "evangelismo enlatado" e mais na ocorrência natural de encontros evangelísticos. Nessas congregações, 91% dos membros concordaram forte ou moderadamente com a afirmação: "Nossa igreja desafia os membros a construir relacionamentos íntegros e significativos com pessoas que não são cristãs".

"Evangelismo relacional" tornou-se uma expressão popular já faz algum tempo. Contudo, sua definição é difícil. É mais fácil descrever como ele ocorre do que defini-lo. Vimos nas igrejas transformacionais um ambiente geral que incentiva o compartilhamento da fé na vida diária, e não em momentos específicos — como eventos e visitas — presentes no calendário da igreja.

Outra faceta do "fazer discípulos" que identificamos nas igrejas transformacionais é o relacionamento entre o evangelismo e o ministério desempenhado na comunidade. As congregações com práticas transformacionais eram ativas — até mesmo "agressivas" — no serviço à comunidade, mas as igrejas transformacionais dão grande ênfase ao ministério social apenas até o ponto em que ele serve ao propósito do compartilhamento do evangelho. O envolvimento em ministérios de compaixão não é um fim em si mesmo, mas é uma maneira de comunicar a razão do serviço, a saber, a mensagem de redenção de Cristo.

As igrejas transformacionais têm um percentual significativamente elevado de cristãos que veem sua igreja envolvida numa missão mais profunda. Do total de membros, 82% concordam forte ou moderadamente com a afirmação: "Nossa igreja provê oportunidades para que os seus membros se envolvam e ministrem aos desigrejados de nossa cidade".

Embora desejem um aumento na quantidade de frequentadores, as igrejas transformacionais entendem que a missão é muito maior. Em vez de simplesmente convidar a cidade para ir à igreja, os membros estão comprometidos em levar a igreja à cidade. A motivação para servir vem da paixão por Deus e de um relacionamento vital com ele. O significado e a aprovação dos outros não são importantes para esses membros, que são ensinados a ser missionários para sua cultura. A missão tem a ver com Deus e seu desejo para a comunidade. O poder de Deus na vida de um cristão missionário envolve pensar menos em si e mais no propósito de Deus para a sua vida.

A esse respeito, nossa pesquisa demonstrou que 93% dos membros das igrejas consideradas transformacionais concordam forte ou moderadamente com a afirmação: "Nossa igreja celebra quando os membros servem à comunidade local ou à cidade"; e 81% deles concordam forte ou moderadamente com "Com regularidade, as pessoas se tornam cristãs como resultado do serviço de nossa igreja".

O fato de o crescimento do evangelho ser vigoroso no Brasil não significa que não haja grandes focos de resistência à mensagem de Cristo. Isso ocorre tanto em razão da má impressão deixada pela teologia da prosperidade quanto dos escândalos envolvendo líderes cristãos. Por isso, para que as igrejas trasformacionais sejam bem-sucedidas na tarefa que Deus lhes deu, elas precisam ser fiéis à Palavra e apaixonadas pela cidade e pelas pessoas para quem foram enviadas, ainda que boa parte dessas pessoas odeie o cristianismo.

O apóstolo Paulo também enfrentou problemas como esse. Não era fácil ser um missionário, por exemplo, em Tessalônica, no ano 52. Tanto judeus quanto gentios odiavam igualmente aos cristãos. Por essa razão, Paulo e Silas foram forçados a sair dali.

Viajaram a Bereia, onde encontraram maior receptividade ao evangelho. "Os judeus que moravam em Bereia tinham a mente mais aberta que os de Tessalônica e ouviram a mensagem de Paulo com grande interesse. Todos os dias, examinavam as Escrituras para ver se Paulo e Silas ensinavam a verdade" (At 17.11).

A abordagem adotada pelos primeiros missionários cristãos era simples. Quando se aproximavam de uma cultura hostil ou desinteressada a fim de levar-lhe o evangelho, a paciência e a imersão nessa cultura eram fundamentais. Paulo e outros escolheram viver e trabalhar entre as pessoas.

> Não se lembram, irmãos, de como trabalhamos arduamente entre vocês? Noite e dia nos esforçamos para obter sustento, a fim de não sermos um peso para ninguém enquanto lhes anunciávamos as boas-novas de Deus. Vocês mesmos são nossas testemunhas, e Deus também é, de que fomos dedicados, honestos e irrepreensíveis com todos vocês, os que creem.
>
> 1Tessalonicenses 2.9-10

Ser missionário em Tessalônica era viver em meio a um povo profundamente amado, servindo de exemplo de Cristo e explicando a verdade sobre Deus àqueles que se dispusessem a ouvir. Os primeiros cristãos desejavam a transformação do perdido mais do que o conforto para si próprios. A ênfase em ver pessoas transformadas pelo poder de Jesus deve suplantar nossos desejos. Essa mesma ênfase persiste, hoje, nas igrejas transformacionais.

Um grande segmento da atual população cristã no Brasil acredita que contribuir, construir templos e convidar pessoas para os cultos e programas da igreja é o suficiente para manter a igreja nos trilhos do evangelismo para a nossa cultura. Muitos cristãos acham que, se as pessoas perdidas puderem ouvir o pastor pregar, então Deus cuidará do resto. Mas, à medida que nossa cultura se torna cada vez menos composta por indivíduos que desejam frequentar uma igreja, somos forçados a mover nossos métodos mais para trás na história, em direção a uma abordagem mais antiga, para alcançar as pessoas. Alguns chamam isso de transição da igreja evangelista do "venha e veja" para uma igreja missionária pós-cristandade do "vá e conte". Isso não quer dizer que o "venha e veja" tenha acabado, mas que precisamos mais e mais do "vá e conte".

A igreja não pode apenas atuar como evangelista local. Agora, ela tem de ser o missionário capaz de penetrar nas suas complexas realidades culturais para construir pontes. Estar inserido na cultura local para mostrar Cristo na vida diária é fundamental. Se a igreja estiver posicionada na cultura como se fosse um missionário, os membros deverão aprender a viver como tal. Termos como "fazer discípulos", "evangelização" e "evangelismo" devem ser entendidos no arcabouço maior da missão de Deus. Ele glorifica a si mesmo por meio da transformação dos pecadores em santos, e sua missão nos é confiada para que sejamos missionários em um mundo ao qual não devemos obediência. Em vez disso, somos embaixadores em missão para persuadir todos os outros a seguirem o Rei.

Ao olharmos para Paulo, vemos que a intencionalidade é um elemento-chave para sermos eficientes em nossa missão para Deus. Ser um missionário não é algo que acontece de maneira natural. Um breve olhar em Paulo e Silas fazendo tendas para viver revela muita coisa. A Igreja era nova e as pessoas ainda não tinham entendido a questão da oferta. Paulo e Silas não estavam trabalhando apenas para levantar apoio financeiro para sua missão, uma vez que entendiam que trabalhar era parte importante da própria missão. Os dois missionários não estavam *esperando* oportunidades de mostrar e contar sobre o evangelho; antes, estavam *cultivando* as oportunidade de fazer discípulos intencionalmente.

Nas igrejas transformacionais, o treinamento é valorizado. Nossa pesquisa mostrou que seus membros aguardam e valorizam o treinamento a fim de serem ativos na missão da igreja. Muitos pastores têm enfrentado a situação nada invejável de planejar um curso de treinamento em evangelismo e receber apenas um punhado de inscrições. Ao proceder a uma revisão mais detalhada, descobre-se que os inscritos são as mesmas pessoas que aparecem em todos os cursos oferecidos. Isso demonstra que toda igreja tem algumas pessoas que são comprometidas com o evangelismo, a missão na comunidade e o treinamento.

Neste ponto, é preciso fazer uma distinção muito importante. Muito do que é visto como treinamento não passa de orientação. A diferença é que a orientação simplesmente informa o que virá, enquanto o treinamento prepara o indivíduo para lidar com as circunstâncias de maneira adequada. Pense no que acontece cada vez que um avião está prestes a decolar. A comissária de bordo caminha pelo corredor até as pessoas sentadas junto às portas de emergência, pergunta-lhes se estão preparadas para abrir a porta em caso de necessidade e talvez dê uma breve demonstração do que precisa ser feito para esse procedimento. Na melhor das hipóteses, é simplesmente uma orientação sobre onde você está e o que será exigido de você.

Por outro lado, os comissários de bordo foram treinados. O treinamento exigido para trabalhar na profissão envolve o aprendizado dos procedimentos de emergência para cada aeronave e a prática desses procedimentos. Os comissários passam semanas se preparando para pousos de emergência, atendimento médico de urgência no ar e tratamento com passageiros malcomportados. Eles foram treinados com o conhecimento daquilo que pode vir a acontecer e de como lidar com cada situação.

Há igrejas demais confiando na orientação de nível superficial. Elas trabalham como se uma explicação periódica do que pode vir a acontecer fosse suficiente para os membros cumprirem a missão da Igreja. O treinamento que leva uma congregação às práticas transformacionais faz muito mais que isso, pois se concentra nos assuntos do coração. A orientação vem de especialistas e considera tudo o que se relaciona àqueles que estão sendo treinados, enquanto o treinamento vem de pessoas que estão juntas na jornada. A orientação funciona mediante uma mentalidade "informar e enviar" que abandona as pessoas; já o treinamento foca no comportamento em tempo real, preparando o indivíduo para circunstâncias prováveis, motivos adequados para ação e construção de expectativas adequadas. A orientação costuma ser feita com um livro e cria um gnóstico moderno, ao passo que o treinamento é realizado com vida em conjunto e produz discípulos que se preparam para discipular outros.

O treinamento nas igrejas transformacionais inclui histórias do campo; as pessoas envolvidas na missão de Deus contam suas experiências. O relacionamento com quem já está na jornada há mais tempo é ideal para aqueles que estão aprendendo como envolver outras pessoas na missão de Deus. Acima de tudo, um ambiente de treinamento mantém em andamento a conversa sobre a missão. Os crentes das igrejas transformacionais também ganham consciência dos recursos que os ajudarão, em tempo real, à medida que se juntarem a Deus em missão. Contar a história do que está acontecendo na comunidade e no mundo cria um ambiente planejado para impedir que as pessoas se sintam sozinhas ao seguir a vontade divina. O treinamento nas igrejas transformacionais enfatiza a necessidade de entrar na missão como uma comunidade de crentes, em vez de como agentes solitários. Por meio do treinamento eficiente, os crentes são levados para fora das instalações da igreja e enviados juntos para o campo missionário da comunidade circundante.

Sistemas de treinamento e envio mais bem elaborados afetam o resultado final, que são vidas transformadas para Cristo.

Envolvimento pleno na missão

A missão da Igreja é glorificar a Deus e fazer discípulos. Mas dizer isso é muito mais fácil que fazer. Conforme analisamos as igrejas transformacionais identificadas por nosso estudo, percebemos que estão dispostas a investir mais profundamente na missão do que as demais. O foco de uma igreja com práticas transformacionais está em levar a missão adiante, e não em mimar e entreter crentes imaturos. Envolver e ganhar o perdido e amadurecer os crentes para que repitam esse processo é a missão predominante nas igrejas transformacionais que encontramos.

Diante disso, surge a questão: como é uma igreja missionária de verdade? Existem alguns passos que nos mostram como se envolver plenamente na missão de Deus.

Primeiro passo: definir o que é sucesso

O relatório missionário de Paulo aos cristãos de Tessalônica foi claro e confiante. Ele relatou: "Vocês mesmos sabem, irmãos, que a visita que lhes fizemos não foi inútil" (1Ts 2.1). Paulo disse que a viagem não foi um desperdício de tempo. Ele sabia que houve resultados porque procurou as medidas tangíveis e intangíveis para a igreja. Mesmo debaixo da pressão de ser levado perante o rei Agripa, Paulo falou sobre sua conversão e a necessidade de todos confiarem em Cristo, o que demonstra que o chamado missionário definiu sua identidade.

> Portanto, rei Agripa, obedeci à visão celestial. Anunciei a mensagem primeiro em Damasco, depois em Jerusalém e em toda a Judeia, e também aos gentios, dizendo que todos devem arrepender-se, voltar-se para Deus e mostrar, por meio de suas boas obras, que mudaram de rumo.
>
> Atos 26.19-20

Algumas igrejas não estão se saindo bem. Fazemos coisas boas, mas deixamos de lado as importantes, pois não temos um retrato predeterminado de sucesso. A disposição de servir, uma boa atitude e objetivos de grande comparecimento aos cultos são coisas boas, mas precisam ser postas em perspectiva. Essas atitudes e metas não estão erradas nem são desprovidas de sentido, mas devem ser reconhecidas como secundárias. Nas igrejas transformacionais, é assim que ocorre, tanto que nossa pesquisa identificou que 90% dos seus membros concordam forte ou moderadamente com a afirmação: "Em nossa igreja, o evangelismo pessoal acontece através de relacionamentos pessoais com os descrentes e/ou desigrejados".

A atividade transformacional pela qual devemos ansiar é fazer o evangelho avançar na vida dos descrentes. Uma pessoa cuja vida é centrada na cruz e fortalecida pela ressurreição não vive mais para si mesma ou, pelo menos, não deveria viver. Em vez disso, ela morre diariamente em favor das novas prioridades da missão do reino.

Precisamos medir a missão e a transformação na vida das pessoas. Essa maneira de medir o sucesso deve ser compreendida por todos os que estão na igreja. Da diretoria aos introdutores, todo mundo deve ser capaz de identificar a razão de ser da congregação, algo que acontece regularmente nas igrejas transformacionais. A liderança e os membros sabem o que é mais importante porque são ensinados sobre isso. Eles ouvem esse conceito constantemente e decidem viver a missão, em vez de se deixarem escravizar por tradições secundárias.

Paulo foi capaz de falar com confiança porque sabia qual era o plano missionário. Ele escreveu:

> Agora, partindo de vocês, a palavra do Senhor tem se espalhado por toda parte, até mesmo além da Macedônia e da Acaia, pois sua fé em Deus se tornou conhecida em todo lugar. Não precisamos sequer mencioná-la, pois as pessoas têm comentado sobre como vocês nos acolheram e como deixaram os ídolos a fim de servir ao Deus vivo e verdadeiro.
>
> 1Tessalonicenses 1.8-9

O trabalho missionário transformacional fará com que as pessoas abandonem seus ídolos mortos e abracem o Cristo vivo. Paulo estava motivado por grande paixão e compromisso em ver mudanças de vida. Do mesmo modo, Deus chama você e sua família da fé local para avaliar o sucesso primeiramente com base na transformação de vidas. As igrejas transformacionais sabem qual é sua missão e como avaliar a eficácia no cumprimento dela.

A avaliação é fundamental, com o propósito de saber que vidas estão sendo transformadas, e deve ter o seguinte cabeçalho: *Vidas sendo visivelmente transformadas pelo poder de Cristo.* Todo aquele que serve ou lidera precisa conhecer de cor esse cabeçalho, conversando e orando sobre ele constantemente. Vidas transformadas são a obsessão de uma igreja transformacional.

Segundo passo: preparar-se para evangelizar

A preparação realizada pelas igrejas transformacionais é diferente daquilo que se vê acontecer em outras igrejas. Ao lidar com a missão de Deus, normalmente pensamos sobre reuniões semanais de treinamento em evangelismo, acompanhadas de programas de visitação. Nas igrejas transformacionais que pesquisamos, não encontramos uma ilusória "receita mágica" que prepara a congregação inteira em um único método de missão.

A pesquisa descobriu que igrejas com prática transformacional preparam o povo para a missão de múltiplas formas: algumas oferecem treinamento em um tipo de evangelismo, outras organizam grupos de estudo bíblico, outras ainda promovem a mentoria e o acompanhamento de novos líderes. Ficou claro que o que cria uma igreja transformacional é a convergência de elementos. E, para que a missão esteja na vanguarda de suas atividades, é necessário haver liderança e o envolvimento da comunidade para o crescimento individual.

Terceiro passo: preparar-se para a oposição

A oposição é inevitável para uma igreja ou um cristão que se envolve plenamente na missão de Deus. A igreja brasileira não enfrenta perseguição religiosa como a que vemos no livro de Atos ou nos relatórios missionários de pessoas que atuam, hoje, no Oriente Médio. Mas enfrentamos oposição espiritual vinda de Satanás a cada momento.

O apóstolo Paulo sabia disso quando relatou: "Sabem como fomos maltratados e quanto sofremos em Filipos, antes de chegarmos aí. E, no entanto, com confiança em nosso Deus, anunciamos a vocês as boas-novas de Deus, apesar de grande oposição" (1Ts 2.2). A palavra usada no original grego em que o texto foi escrito e que foi traduzida para português por "oposição" refere-se ao termo desportivo que descreve um oponente em um jogo ou uma luta. Em qualquer atribuição definida por Deus, devemos perceber que existe o outro lado. A oposição não é meramente intelectual ou filosófica; é espiritual em sua origem. A missão de Satanás é parar aqueles que estão em missão para Deus.

Em sua conversa anterior com o rei Agripa, Paulo identificara de maneira não apologética a fonte de resistência a seu chamado missionário. O apóstolo disse ao rei aquilo que Deus lhe dissera literalmente:

> E eu o livrarei tanto de seu povo como dos gentios. Sim, eu o envio aos gentios para abrir os olhos deles a fim de que se voltem das trevas para a luz, e do poder de Satanás para Deus. Então receberão o perdão dos pecados e a herança entre o povo de Deus, separado pela fé em mim.
>
> Atos 26.17-18

Os perdidos, por mais inocentes que possam parecer quando você anda por sua cidade, são pessoas sob o poder de Satanás, que deseja mantê-las como estão. À medida que os cristãos se preparam para se envolver na missão de Deus, o treinamento adequado e a força de vontade não são suficientes para o sucesso, pois existe essa oposição.

A igreja transformacional experimenta uma convergência constante de elementos quando se trata da missão da Igreja, como ênfase em oração e ênfase na comunhão entre os crentes e a missão. Essas posturas formam uma defesa poderosa ao convergirem no campo do ministério.

Quarto passo: fornecer liderança pessoal para os crentes

A maioria de nós vive em um oceano de informação digital. Mas será que os indivíduos conseguem ser equipados apenas por meio de *e-mails*, *iPods* e outras criações tecnológicas? É possível que, até certo ponto, a resposta seja positiva, mas dados vindos de mecanismos impessoais só conseguem levá-lo a certa distância. Por mais que sistemas e processos sejam fundamentais para a missão de uma igreja local, os seres humanos precisam de outros seres humanos para que ocorra o verdadeiro crescimento. Os recursos mais valiosos para a jornada missional são os exemplos da vida real e as conversas de tempo real. As igrejas transformacionais criam ambientes de envio em missão compostos por pessoas para que haja conversas e relacionamentos pessoais informais.

O apóstolo Paulo criou um currículo missionário convincente. Ele via o evangelho como algo que Deus lhe confiara para que o vivesse. A história de Paulo inspira porque sua fé foi além de explicar palavras e ideias religiosas. As pessoas o testemunharam em ação, como um modelo para a missão. Ele levou a sério a confiança que Deus depositou nele. Paulo instruiu aos cristãos filipenses: "Continuem a praticar tudo que aprenderam e receberam de mim, tudo que ouviram de mim e me viram fazer. Então o Deus da paz estará com vocês" (Fp 4.9). O Senhor nos deu a responsabilidade de sermos um exemplo vivo de Cristo.

As pessoas em missão precisam de exemplos de piedade para seguir. Uma vez que nossa jornada com Cristo toma constantemente novas rotas, não podemos contar que o crescimento de ontem seja suficiente para hoje. Infelizmente, muitos cristãos passam anos vivendo de sobras espirituais. Uma das principais razões é a falta de exemplos sólidos na vida dessas pessoas. Sem um professor para guiá-los na missão de Deus, os crentes perdem as lições novas e necessárias para continuarem a ser transformados pelo poder de Cristo. As pessoas que estão chegando a Jesus sem ter um histórico de igreja precisam testemunhar o verdadeiro cristianismo ser vivido na prática.

Seja qual for o termo que você goste de usar — professores, discipuladores ou mentores —, eles são necessários para equipar pessoas a viver em missão. Nas igrejas transformacionais, descobrimos que a ação comunitária converge com o valor da liderança vibrante para fornecer o ambiente necessário a fim de ajudar os crentes a sair das quatro paredes e se envolver na missão. Ter alguém mais experimentado na jornada, com quem se pode contar, impede os cristãos de ficarem estagnados.

Paulo e Timóteo são exemplos desse relacionamento. "Timóteo, meu verdadeiro filho na fé" (1Tm 1.2) foi a maneira usada por Paulo para se referir a Timóteo. Paulo deu encorajamento e conselhos suficientes ao jovem pastor. Hoje você pode se ver na situação de ter de ser um "Paulo" para um cristão mais novo ou, talvez, você seja um "Timóteo" que precise buscar um crente mais maduro para guiá-lo na missão. Onde quer que esteja na missão, certifique-se de que você está participando dela dentro de uma comunidade de fé que nutre a transformação. O ato de mentorear serve para cumprir uma parte importante da missão: fazer discípulos. Mentorear é essencial para encorajar pessoas em missão com Deus.

Quinto passo: mover-se em direção à comunidade

Quando conversamos com líderes cristãos, é comum surgir um questionamento: será que alguma das pessoas que vivem em casas bem ao lado da propriedade de nossa igreja a frequenta? A resposta mais frequente é negativa. Por uma razão ou outra, os vizinhos veem a igreja como uma perturbação, algo que atrapalha, uma fonte de ruído ou algo que desvaloriza sua propriedade. Seja qual for a razão, as igrejas parecem enfrentar dificuldades para construir uma boa reputação na comunidade. As igrejas transformacionais, ao contrário, são exatamente o oposto. Em vez de esperar que os vizinhos venham a elas, tais igrejas optam por sair e se encontrar com seus vizinhos.

As igrejas transformacionais constroem uma boa reputação na cidade. A determinação delas de trabalhar pelo bem da comunidade muda a percepção de quem elas são. O pastor Demétrius Gomes, da Igreja Batista Central em Caetés I, em Abreu e

Lima (PE), comentou, em nossa pesquisa, sobre a transição que ocorreu na sua congregação nos últimos anos, quando a membresia cresceu de 70 para 350 pessoas e passou a ser respeitada pela comunidade em razão do seu envolvimento com a cidade: "As pessoas agora nos reconhecem como uma igreja diferente, no bom sentido da palavra, pois temos um comprometimento com a comunidade onde estamos". Por sua vez, o pastor Dante Gabriel, da Igreja Batista Unida do Jardim Itapura, em São Paulo (SP), demonstrou que a sua congregação tem sido sensível às realidades da comunidade e, por isso, tem trabalhado fortemente nas questões sociais:

> Devido às circunstâncias que temos em nossa comunidade, nos sentimos compelidos a lidar com questões sociais tais como falta de emprego e problemas familiares. Firmamos, por exemplo, uma parceria com a unidade de saúde pública do nosso bairro para dar assistência às pessoas mais velhas. Como consequência, os moradores da comunidade percebem a importância da igreja no lugar onde está localizada e, quando alguém fala com os nossos vizinhos, eles dizem quantos benefícios decorrem da presença da nossa igreja ali.

Nossa pesquisa demonstrou que 94% dos membros das igrejas consideradas transformacionais concordam forte ou moderadamente com a afirmação: "Nossa igreja conquistou uma boa reputação entre os líderes e as autoridades da nossa cidade em razão dos nossos trabalhos sociais". Qual é a razão dessa resposta? As igrejas transformacionais se envolvem com a comunidade com grande paixão e com a visão de mudar a realidade do entorno. Em vez de propagar a antiga mentalidade do "venha e se junte a nós", elas abraçaram a ordem de Jesus de "ir e pregar".

As igrejas que escolhem a transformação como seu objetivo sabem que isso não pode ser feito "em casa". Percebemos que as igrejas transformacionais celebram os empreendimentos missionários que abençoam e transformam a comunidade, assim como comemoram os ministérios que edificam a igreja local.

Contudo, em comparação, a vasta maioria das igrejas se concentra no sucesso de seus ministérios internos. As igrejas transformacionais se sentem como movimentos em favor da cidade, enquanto as demais igrejas se sentem como instituições que buscam a autopreservação.

Considere o cenário a seguir: a Igreja da Pedra Angular tem um calendário cheio de atividades. A quantidade de participantes dos cultos dominicais cresce ano após ano. Por décadas, a liderança tem investido recursos em um santuário atraente, em sinalização eficiente, em ministérios infantis fortes, na construção de um centro recreativo e no envio de pessoas em viagens missionárias de curta duração para lugares distantes espalhados pelo mundo. Com regularidade, a igreja promove cursos de treinamento em evangelismo, nas noites de segunda-feira, a fim de instruir os crentes na apresentação do evangelho e no envio deles para visitação aos interessados. A igreja vê visitantes com frequência, mas parece reter poucos deles; por isso, seus membros estão confusos quanto à razão de o público aparentemente crescer de ano para ano, mas o número de batismos estar estagnado há anos.

A quinze quilômetros de distância dali está a Igreja do Rio Seco. Não é uma igreja completamente diferente da Pedra Angular em tamanho e taxa de crescimento do número de frequentadores. Ali se realizam cultos todas as manhãs e tardes de domingo, e grande parte da igreja está envolvida em estudos bíblicos. O prédio não é tão bonito, aparentando ser algo mais voltado para o uso que se faz dele. As atividades que constam no calendário oficial da igreja parecem ser menos do que alguém poderia esperar de uma congregação em crescimento. O treinamento formal em evangelismo é raramente oferecido, mas os líderes da igreja falam e servem frequentemente de modelo de como compartilhar sua fé. Ali, compartilhar Cristo é um valor central. Na Rio Seco, a ênfase não está na localização da propriedade da igreja, mas na localização dos membros da igreja. A iniciativa de fazer as pessoas servirem nem sempre aparece nos programas da congregação, mas normalmente se dá com a igreja na comunidade. Sempre há pessoas nos cultos e nos estudos bíblicos, mas as pessoas gostam mesmo é de ouvir as histórias de vidas transformadas por meio de atos simples de serviço e testemunho. Anualmente, a igreja vê o crescimento em número de novos crentes e sente-se animada em relação ao futuro. Os líderes conhecem as autoridades municipais e desenvolveram amizades sólidas por meio das quais compartilham pessoalmente sua fé.

Qual é a diferença principal que encontramos entre essas duas igrejas fictícias? A diferença está no "onde" da missão. Há um número excessivo de igrejas limitando seu ministério aos metros quadrados onde se localiza seu prédio. Para ser transformacional, uma igreja precisa constantemente comissionar seus membros no serviço para a cidade, a fim de proclamar o evangelho por meio da demonstração do amor prático. É por isso que nossa pesquisa detectou que 96% dos membros das igrejas transformacionais concordam forte ou moderadamente com a afirmação: "Quando servimos a nossa comunidade com algum tipo de ministério, também buscamos oportunidades de falar do amor de Cristo".

As igrejas transformacionais estão procurando intencionalmente maneiras de se envolver com a comunidade como um todo. Os crentes entendem que a missão está "lá fora", e não "aqui dentro". Os líderes devem decidir treinar os crentes não apenas em uma apresentação evangelística, mas por meio de um estilo de vida missional. O treinamento em evangelismo é parte da preparação para a missão de Deus, mas não é suficiente para vivê-la. O serviço é uma porção da missão de Deus, mas não é seu todo. A missão de Deus deve ser vivida a cada dia, na rotina diária de cada cristão. Nas igrejas transformacionais, a missão de Deus é ativa, de maneira tão aparente entre as pessoas da igreja que a cidade sente falta delas quando não estão por perto.

Os membros das igrejas transformacionais sentem-se confortáveis em compartilhar sua fé. A missão de Deus não progride, a não ser que as pessoas estejam falando sobre ela, em conversas mais profundas do que a teologia da missão ou a maneira como as coisas devem ser. A obra do cristão é conversar sobre aquilo que está no coração de Deus, a saber, a redenção do homem. Nossa pesquisa detectou que 89% dos membros das igrejas transformacionais concordam forte ou moderadamente com a afirmação: "Os membros de nossa igreja entendem a importância de compartilhar sua história de fé com amigos".

As igrejas que mostraram uma prática transformacional na área de missão estavam cheias de crentes que compartilhavam naturalmente sua fé. Muitos crentes dessas congregações aprenderam diferentes modos de apresentar o evangelho, os quais eles empregam em diferentes níveis nos seus esforços em fazer discípulos. Assim, os membros de igrejas transformacionais consideram natural compartilhar as boas-novas de Cristo de maneira pessoal, em um contexto de relacionamentos.

A lição a ser aprendida aqui é óbvia: a transformação de indivíduos e comunidades acontece na mesma velocidade em que o evangelho é proclamado. Nossas igrejas precisam mais uma vez ser povoadas por pessoas que gostam de ser protagonistas dessa proclamação. Se você vir sua igreja repleta de cristãos covardes ou de embaixadores apáticos, os elementos da liderança vibrante e a ênfase em oração precisam ser postos em ação.

As igrejas transformacionais romperam o sistema de castas clericais e colocaram a missão nas mãos de todos os cristãos. E não deveria ser surpresa — embora seja — ver crentes respondendo à tarefa de estar em missão. Por quê? Porque Deus nos criou para estarmos em missão. A nova vida que nos foi concedida é tão valiosa que implora para ser compartilhada. As igrejas transformacionais tiraram seus membros da mentalidade "dê o dízimo, ore e assista" para a obsessão do "vá, conte e mostre". E isso porque a igreja transformacional é aquela que libera seus membros em missão, pois as pessoas querem estar lá fora, proclamando com palavras e atos de justiça que o reino de Deus já foi inaugurado por Jesus e que a volta do Senhor é iminente.

Conclusão

As igrejas transformacionais multiplicam missionários vibrantes para a colheita. Os missionários entendem quem são e por que fazem o que fazem. Essas congregações estabelecem motivação e treinamento para ajudar seus membros missionários, como uma mãe cuida de seus filhos. O ambiente de cuidado experimentado pelas crianças deve ser uma ilustração de como conduzimos e ajudamos uns aos outros em nossas igrejas.

Neste momento, sua igreja pode estar se sentindo como um berçário, com muitas pessoas necessitadas e centradas nas próprias carências. Ou, talvez, se pareça mais com uma escola de ensino médio, onde todos estão tentando descobrir a si mesmos, testar os limites da liberdade e estabelecer um curso para a vida. As igrejas transformacionais, por sua vez, criaram um cenário no qual o cristão maduro é encorajado a conduzir o imaturo. Elas ajudam o imaturo a ver onde está errando na missão. A liderança é estabelecida em torno da ideia de ajudar pessoas a ver e a participar da missão, em vez de ficar estagnadas em uma fase de desenvolvimento.

As pessoas vêm para o Corpo de Cristo constantemente. Numa igreja transformacional, porém, a influência está em fazer as pessoas saírem da condição de *frutos da missão* para *ativos na missão* e então para *líderes na missão.*

Missão é o oposto do "eu". Precisamos nos lembrar de fazer com que ela gire em torno de Deus, e não de nós. Assim, qual é o fundamento dessa vida transformacional mais profunda quando alguém deixa de ser um observador da missão e se torna um missionário? Jesus explicou: "Da mesma forma, suas boas obras devem brilhar, para que todos as vejam e louvem seu Pai, que está no céu" (Mt 5.16). Por isso, deixemos nossa obra brilhar em favor de um propósito maior do que apenas o alto comparecimento à Escola Dominical ou a máxima participação no dia de limpeza da igreja. Essas coisas são subprodutos. Amar as pessoas incondicionalmente e servi-las como Jesus serviu fará com que elas olhem para o Pai. Só então a transformação poderá ocorrer na vida delas. Nosso estilo de vida transformacional deve ser impulsionado pelo amor.

> De qualquer forma, o amor de Cristo nos impulsiona. Porque cremos que ele morreu por todos, também cremos que todos morreram. Ele morreu por todos, para que os que recebem sua nova vida não vivam mais para si mesmos, mas para Cristo, que morreu e ressuscitou por eles.
>
> 2Coríntios 5.14-15

Ser impulsionado é estar sob a influência de alguém que impulsiona. Ser influenciado pelo caráter e pela natureza de Deus nos levará a nos unirmos à sua missão de transformar pessoas para que sejam como Cristo, fará com que congregações ajam como Corpo de Cristo e levará comunidades a espelharem o reino de Deus.

Esse é o mundo das igrejas que transformam o Brasil.

Conclusão

Muitas vezes, a melhor parte de uma história é o fim, especialmente quando você a está contando a uma criança. É bom dizer que o herói venceu e o vilão foi derrotado, para que tudo tenha um final feliz. No que se refere ao tema desta obra, contudo, embora o livro tenha chegado ao fim, a história da Igreja do Senhor continuará seguindo os soberanos propósitos dele, e certamente haverá um lindo final, quando aquele que começou a boa obra em nós a completará no dia que Jesus retornar (cf. Fp 1.8). Até esse grande dia chegar, a missão de Deus de redimir a sua criação será levada adiante e a Igreja de Cristo continuará sendo central para esse eterno propósito divino.

Esperamos deixar você com um senso de que, embora o livro tenha chegado ao fim, a história do que Deus está fazendo e ainda fará por meio das igrejas transformacionais brasileiras seguirá o seu rumo. Estamos certos de que esse movimento revolucionário e inspirador tomará proporções cada vez maiores e terá como resultado a transformação do Brasil, à medida que o seu povo experimentar o poder genuíno do evangelho.

Após anos trabalhando duro na pesquisa que deu origem a este livro, coletando e interpretando dados, temos a consciência de que os resultados divulgados podem abrir os olhos de vários setores da Igreja brasileira para as maravilhosas realidades testemunhadas pelas igrejas transformacionais. Nosso desejo é que, em obediência a Deus e pelo seu soberano agir, possamos testemunhar um verdadeiro avivamento nesta nação, tão sofrida pelos danos causados pela corrupção e por outros pecados tão abomináveis aos olhos do Senhor.

O que Jesus pensa sobre a Igreja

Jesus nos ensinou o que ele pensa sobre a Igreja:

> Quando Jesus chegou à região de Cesareia de Filipe, perguntou a seus discípulos: "Quem as pessoas dizem que o Filho do Homem é?". Eles responderam: "Alguns dizem que o senhor é João Batista; outros, que é Elias; e outros, ainda, que é Jeremias ou um dos profetas". "E vocês?", perguntou ele. "Quem vocês dizem que eu sou?" Simão Pedro respondeu: "O senhor é o Cristo, o Filho do Deus vivo!". Jesus disse: "Que grande privilégio você teve, Simão, filho de João! Foi meu Pai no céu quem lhe revelou isso. Nenhum ser humano saberia por si só. Agora eu lhe digo que você é Pedro, e sobre esta pedra edificarei minha igreja, e as forças da morte não a conquistarão.
>
> Mateus 16.13-18

A verdadeira Igreja de Jesus é edificada sobre um fundamento totalmente diferente do que em geral vemos nas igrejas modernas. É bem verdade que existem até boas intenções, mas muitos têm edificado a igreja sobre fundamentos falhos e frágeis. Jesus afirmou que a sua Igreja seria edificada sobre a confissão de Pedro, sobre a Pedra que sustenta toda a história, sobre a eterna verdade de que Cristo é o Filho do Deus vivo. O fundamento da Igreja não é Pedro, mas a confissão que saiu de sua boca por intermédio da revelação dada pelo próprio Pai.

Nós defendemos que as igrejas devem ministrar ao mundo de uma maneira culturalmente compreensível e relevante. Entretanto, antes de pensarmos sobre cultura, precisamos estar biblicamente firmados. Isso significa que a igreja deve, antes de mais nada, estar firmada na revelação de Deus de que Jesus Cristo é o

Messias, aquele por meio de quem todas as coisas serão redimidas do cativeiro e do pecado e restauradas de seu estado caído.

De fato, as igrejas transformacionais conhecem a fonte da transformação. Elas não caem na armadilha de acreditar no poder da inovação ou mesmo na visão corporativa como sendo a real fonte da transformação de vidas. Ao focalizarem em Cristo, os cristãos que vivem em missão acreditam profundamente no poder que apenas o próprio Deus tem de transformar vidas.

As igrejas transformacionais não se distraem com questões insignificantes, pois permanecem claramente focadas naquele que fundou e ama a sua Igreja. Além disso, foi o próprio Jesus quem disse que edificaria a sua Igreja. Por mais que queiramos ajudar nesse processo, o Senhor simplesmente não precisa da nossa ajuda. Mas, ainda assim, ele nos convida a participar dessa tarefa com ele. Que maravilhoso! Como é bom sabermos que Jesus está no meio de sua Igreja, edificando-a para sua glória, para o bem da cidade, para chamar o perdido à salvação e para conclamar os que foram salvos para um maravilhoso relacionamento com o Rei dos reis.

Comece agora mesmo

Jesus também prometeu a Pedro que as forças do inferno não seriam capazes de deter a sua Igreja. Nós nos perguntamos: quantas igrejas realmente acreditam nessa verdade bíblica? Muitas até concordam teologicamente com essa afirmação de Jesus, mas a negam nas suas práticas ministeriais. Por outro lado, as igrejas que estão transformando sua comunidade não apenas acreditam nessa promessa de Jesus, mas a vivem plenamente.

A descoberta dessas igrejas nos dá muita esperança de ver o Brasil transformado, simplesmente porque elas estão envolvidas em uma missão que todos os que amam a Deus e ao próximo podem abraçar. As igrejas que estão contribuindo com a transformação dos seus contextos abraçam o poder de Jesus e se engajam nessa missão sem medo nem vergonha de proclamar com palavras e ações o evangelho da graça de Deus.

Convidamos você a ingressar no Ciclo Transformacional. Não há um elemento específico a desenvolver primeiro. Avalie a sua igreja e busque a direção de Deus sobre qual elemento deve ser o foco inicial. Depois disso, envolva-se na missão de Deus sem medo e sem voltar atrás.

Tenha também em mente que os sete elementos que fazem uma igreja transformacional não são princípios independentes uns dos outros, mas compõem uma interação orgânica. A Igreja é formada por partes e realidades interdependentes, e Cristo está ativo em todo o Corpo. Assim, se a liderança se torna vibrante é porque a igreja começou a ser inquietada pelo poder da oração. E, se há maior ênfase na oração, haverá melhor compreensão do amor de Deus pela humanidade, o que provocará o desenvolvimento de uma mentalidade missionária mais nítida. Desse modo, embora devamos buscar entender todos os aspectos da vida cristã, não podemos isolar suas práticas e seus efeitos.

Além disso, tenha esperança e saiba que Deus ainda não finalizou a obra que tem para fazer na sua vida e na da igreja em que você congrega e serve. Ainda que a sua realidade pessoal e ministerial esteja como um vale de ossos secos, o autor e consumador da sua fé continua vivo e ativo no processo de condução do seu povo e de edificação da sua Igreja. Ele tem poder para soprar vida e possibilitar novos começos.

A história continua

Ao concluir *As crônicas de Nárnia*, com o livro *A última batalha*, C. S. Lewis escreveu o seguinte:

> E, à medida que ele [Aslan] falava, já não lhes parecia mais um leão. E as coisas que começaram a acontecer a partir daquele momento eram tão lindas e grandiosas que não consigo descrevê-las. Para nós, este é o fim de todas as histórias, e podemos dizer, com absoluta certeza, que todos viveram felizes para sempre. Para eles, porém, este foi apenas o começo da verdadeira história. Toda a vida deles neste mundo e todas as suas aventuras em Nárnia haviam

> sido apenas a capa e a primeira página do livro. Agora, finalmente, estavam começando o Capítulo Um da Grande História que ninguém na terra jamais leu: a história que continua eternamente e na qual cada capítulo é muito melhor do que o anterior.[1]

De igual modo, nós esperamos que este livro, que você está prestes a terminar de ler, seja apenas a capa e a primeira página de uma grande jornada de transformação em sua igreja.

A nossa pretensão é que o Altíssimo mova você e sua comunidade na direção do Capítulo Um da Grande História, que ninguém na terra jamais leu, história do que Jesus Cristo está prestes a fazer em sua vida e na sua igreja. Tenha certeza de que o Deus que fez todo o Universo e formou a Igreja está pronto para encher o seu coração de esperança mais uma vez. Ele quer refinar a maneira como nós vemos e entendemos a Igreja e produzir transformações que decorram de vidas centradas no evangelho e cheias de temor e arrependimento.

Temos confiança em que Deus está preparando uma grande obra de avivamento para o mundo e que a Igreja no Brasil certamente terá um grande papel nesse mover.

Apêndice

Neste apêndice, apresentamos os dados obtidos das respostas dadas na Fase 1 da pesquisa. No total, responderam os pastores titulares de 1.483 igrejas de todo o Brasil.

Dados demográficos

Qual o seu gênero?
(n=1.480)

Masculino	95%
Feminino	5%

Qual a sua idade?
(n=1.476)

18-44	24%
45-54	38%
55-64	23%
65+	14%

Embora movimentos a favor da ordenação de mulheres sejam vigorosos no Brasil, os dados mostram que 95% dos líderes titulares das igrejas brasileiras são homens. Isso não significa que o país só tenha 5% de mulheres pastoras, dentre todos os ordenados, mas que apenas 5% dos pastores titulares são do sexo feminino. Além disso, observa-se que a faixa de idade entre 45-54 anos é a que abarca mais pastores titulares.

O que melhor descreve a sua ocupação na igreja?
(n=1.447)

- Tempo integral: 57%
- Bivocacionado: 28%
- Voluntário: 15%

O que melhor define o lugar onde está a sua igreja?
(n=1.472)

- Cidade grande (100.000 ou mais pessoas): 76%
- Cidade pequena (menos de 100.000 pessoas): 23%
- Área rural: 1%

Essa informação sobre a quantidade de pastores que realizam outro trabalho ou são voluntários na igreja é de suma importância e pode ser uma tendência futura. Além disso, observa-se, com tristeza, que apenas 1% das igrejas oficialmente listadas no Brasil encontra-se nas zonas rurais.

Qual o seu maior grau de instrução?
(n=1.475)

- Menos do que o ensino fundamental: 2%
- Ensino fundamental: 4%
- Ensino médio: 25%
- Ensino superior: 54%
- Especialização: 8%
- Mestrado: 5%
- Doutorado: 1%

Você completou um curso bíblico ou um grau superior em teologia?
(n=1.477)

• Curso bíblico:	23%
• Superior em teologia:	72%
• Nenhum:	5%

A pesquisa também demonstrou que 31% dos pastores não têm curso superior e apenas 1% tem doutorado. Ademais, 5% deles não têm nenhuma formação teológica, quer seja por meio de um curso bíblico, quer seja mediante um curso superior em teologia. Esses dados foram muito importantes para algumas comparações que serão feitas a seguir.

Métricas transformacionais

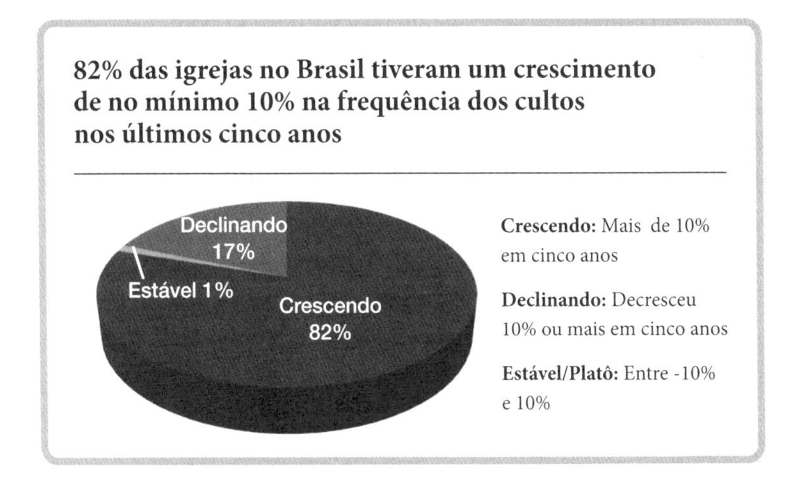

Embora a igreja evangélica brasileira esteja crescendo nas últimas décadas, 17% das igrejas locais estão, na verdade, declinando, enquanto 82% delas cresceram mais de 10% nos últimos cinco anos.

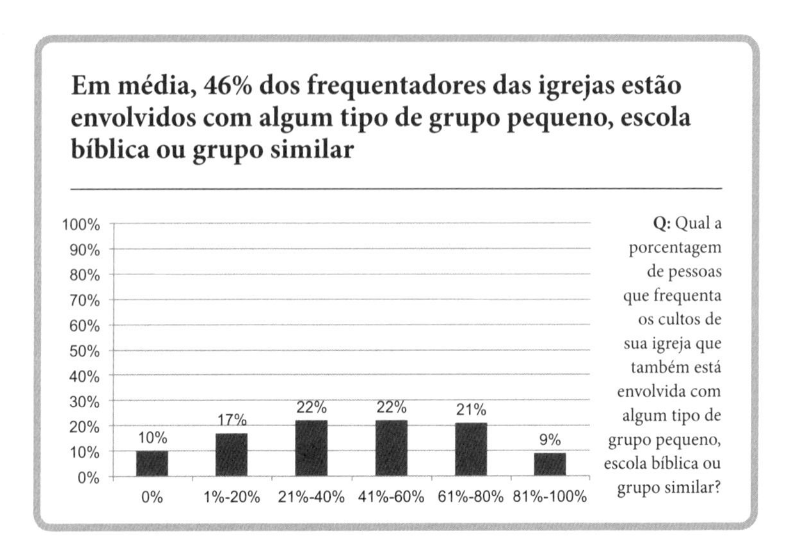

Esses dados mostram que, por exemplo, em 10% das igrejas pesquisadas, nenhum (0%) dos frequentadores dos cultos está envolvido com alguma forma de vida comunitária em grupos pequenos, enquanto em apenas 9% das igrejas avaliadas observamos uma participação vigorosa dos que frequentam os cultos de fim de semana (entre 81% e 100%) em atividades em que a comunhão, o discipulado e o crescimento espiritual podem ser catalisados.

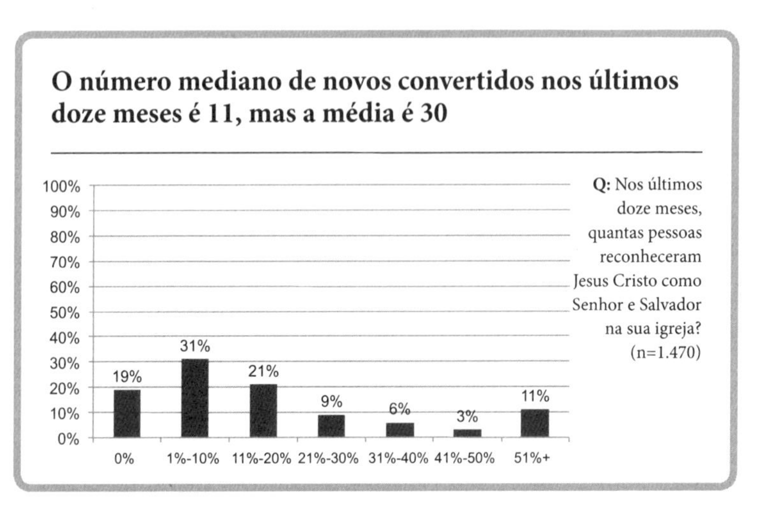

Como se vê, em 19% das igrejas pesquisadas não houve nenhuma conversão a Cristo nos doze meses anteriores à entrevista; enquanto em 11% das igrejas pesquisadas houve a conversão de 51 ou mais pessoas no mesmo período.

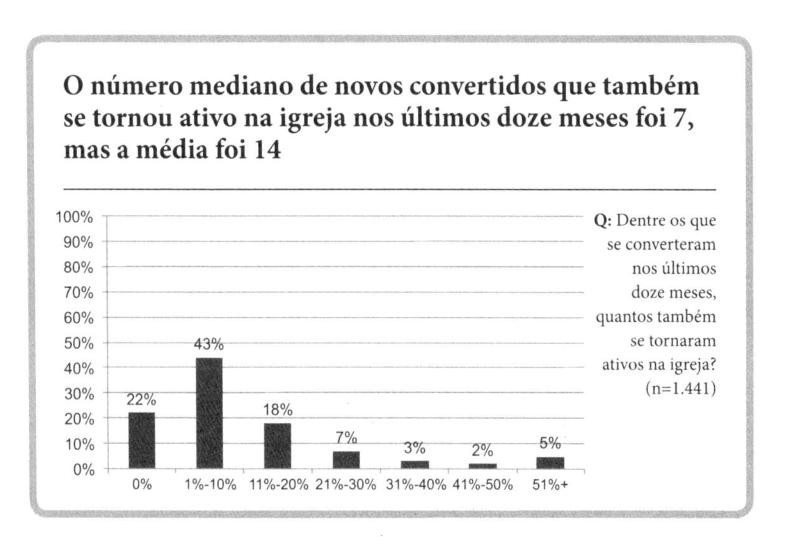

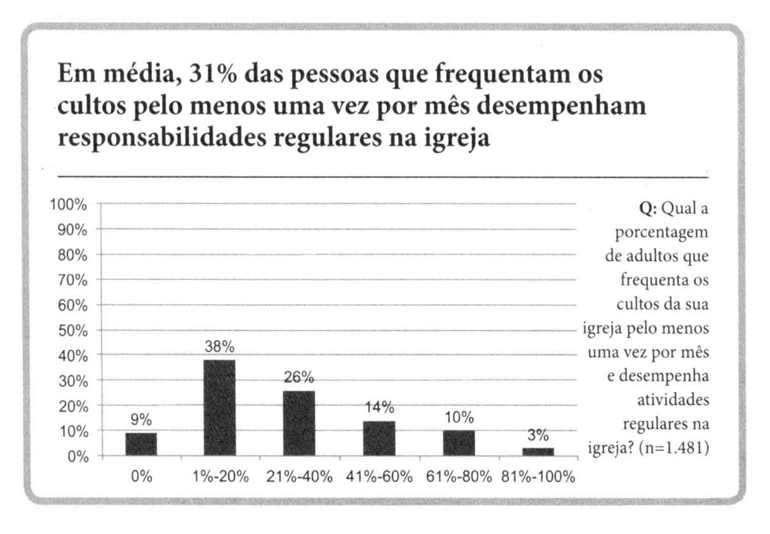

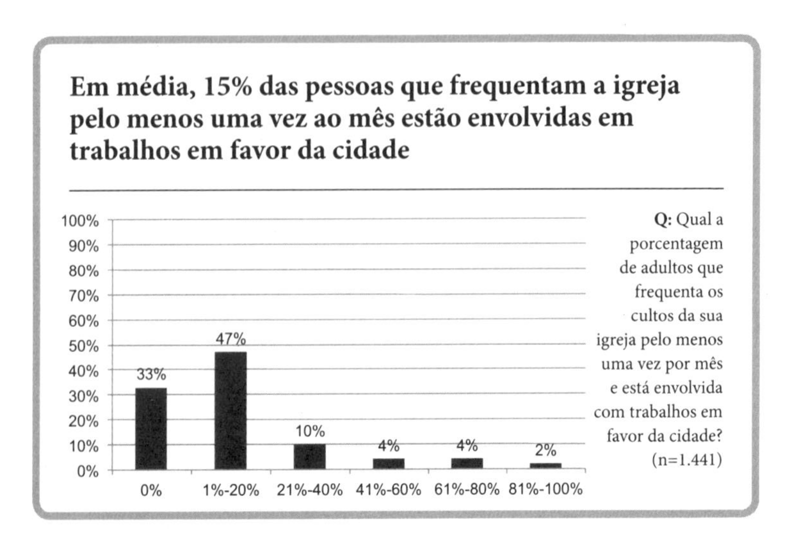

Como se vê, o envolvimento médio dos cristãos com as dores e as necessidades de sua cidade é de apenas 15%. O aumento desse número pode produzir transformações substanciais no país.

Visão doutrinária dos pastores

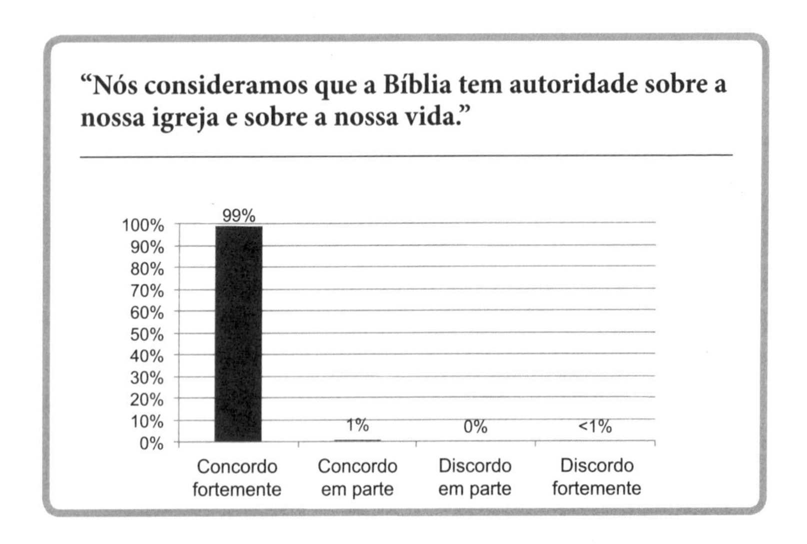

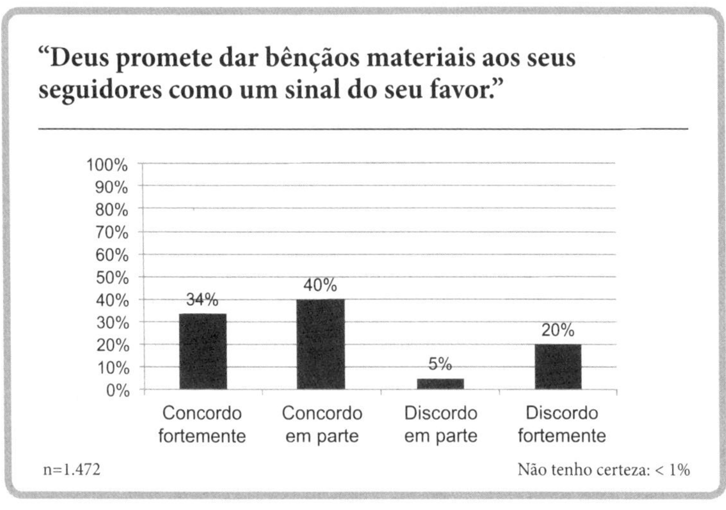

As igrejas que concordaram fortemente com a frase acima (34%) foram excluídas das fases 2 e 3 da pesquisa. Durante as entrevistas com os pastores na fase 2, embora todos os 50 fossem contra a teologia da prosperidade, 26 afirmaram (sem serem sequer questionados especificamente sobre isso) que a teologia da prosperidade defendida pelas igrejas midiáticas atrapalha, de alguma maneira, a saúde e a reputação social de sua igrejas.

“O Deus da Bíblia não é diferente dos deuses adorados em outras religiões do mundo, como islamismo, hinduísmo, budismo etc.”

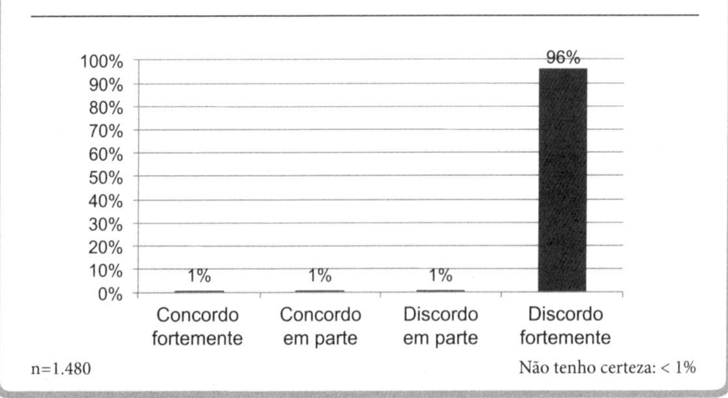

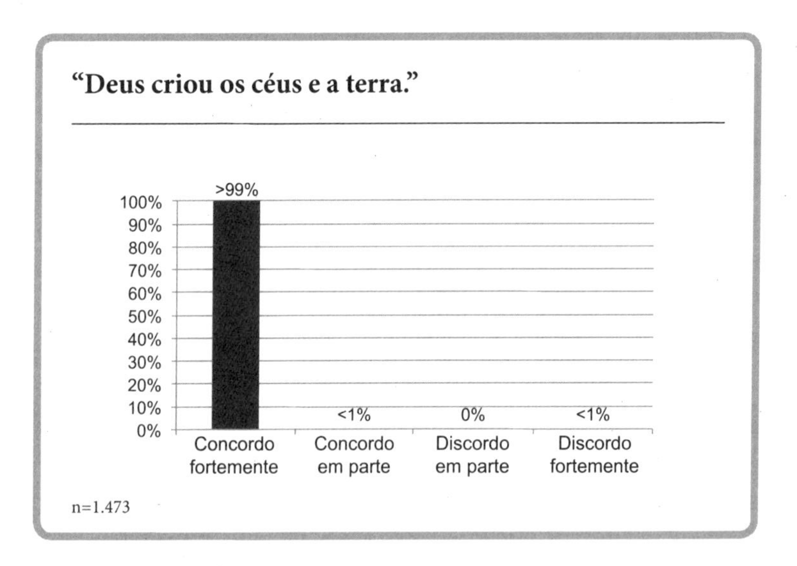

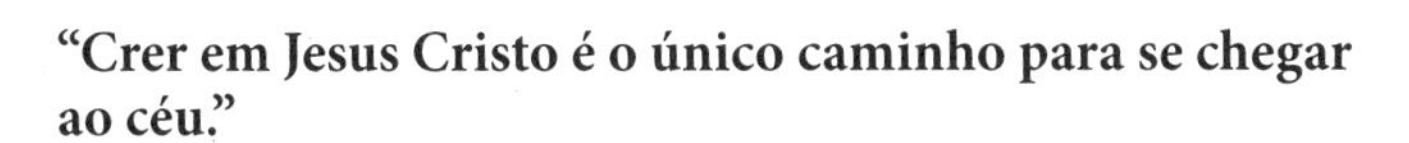

"Crer em Jesus Cristo é o único caminho para se chegar ao céu."

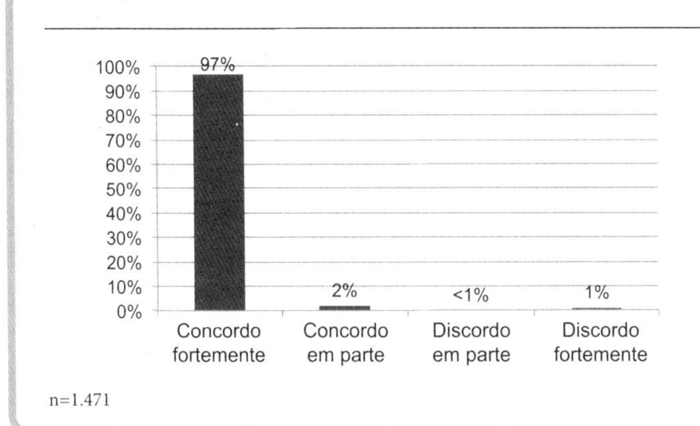

n=1.471

"Jesus Cristo é homem e Deus ao mesmo tempo."

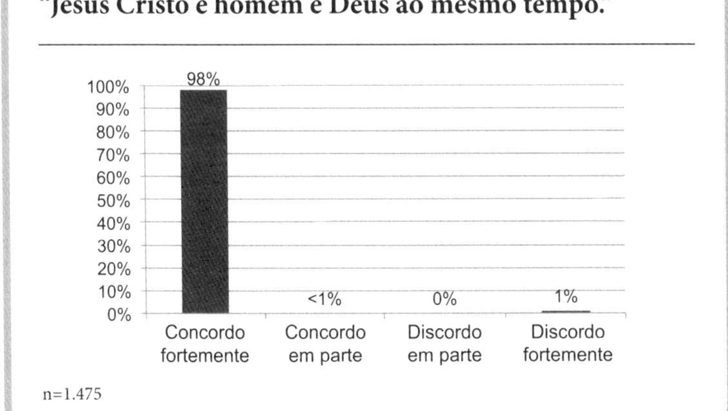

n=1.475

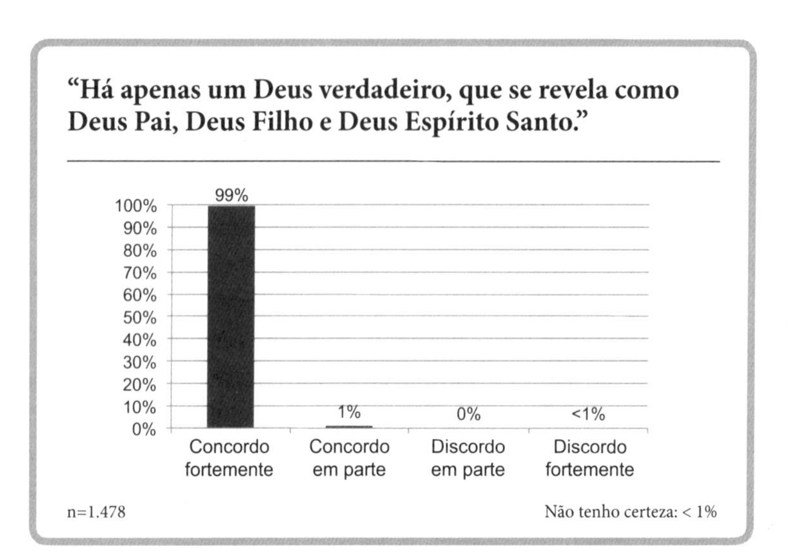
"Há apenas um Deus verdadeiro, que se revela como Deus Pai, Deus Filho e Deus Espírito Santo."
99%
100%
90%
80%
70%
60%
50%
40%
30%
20%
10%
0%
1%
0%
<1%
Concordo fortemente
Concordo em parte
Discordo em parte
Discordo fortemente
n=1.478
Não tenho certeza: < 1%

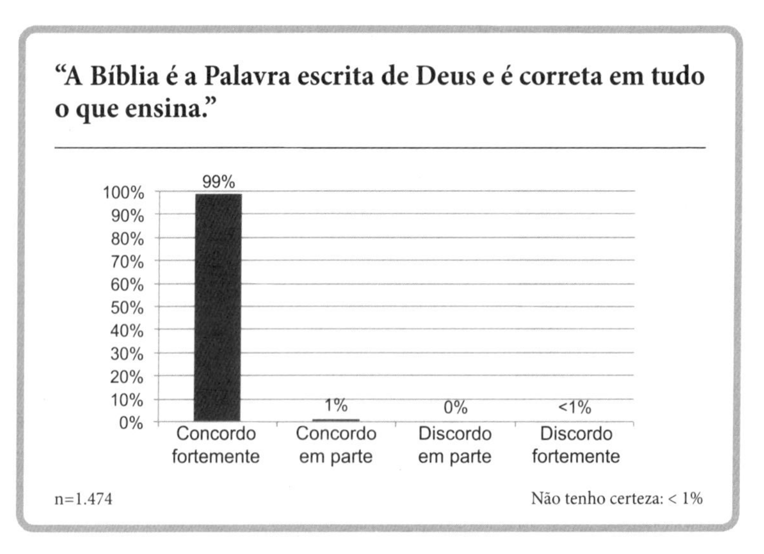
"A Bíblia é a Palavra escrita de Deus e é correta em tudo o que ensina."
99%
100%
90%
80%
70%
60%
50%
40%
30%
20%
10%
0%
1%
0%
<1%
Concordo fortemente
Concordo em parte
Discordo em parte
Discordo fortemente
n=1.474
Não tenho certeza: < 1%

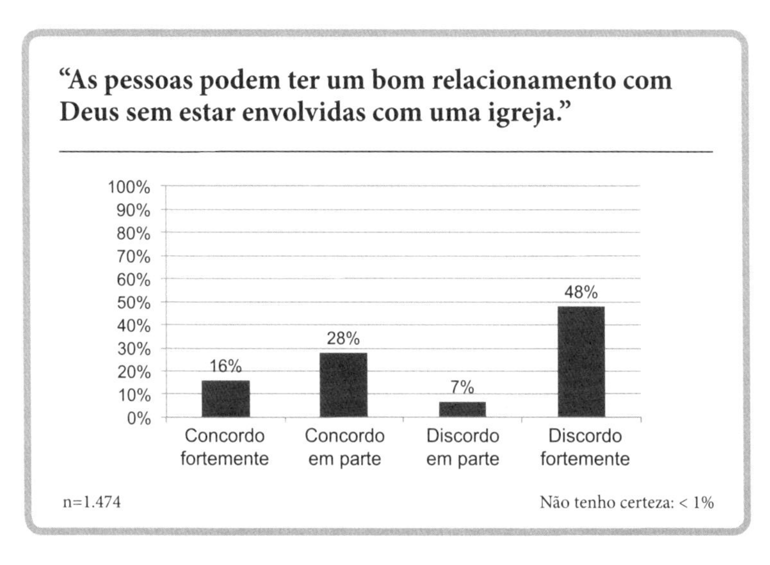

Os entrevistados podem ter dado essas respostas por muitas causas, mas parece haver um grande número de pastores que concorda fortemente com a existência de um cristianismo pessoal e individualista, sem a necessidade de frequência a uma igreja local. Pesquisas adicionais são necessárias para esclarecer essa questão.

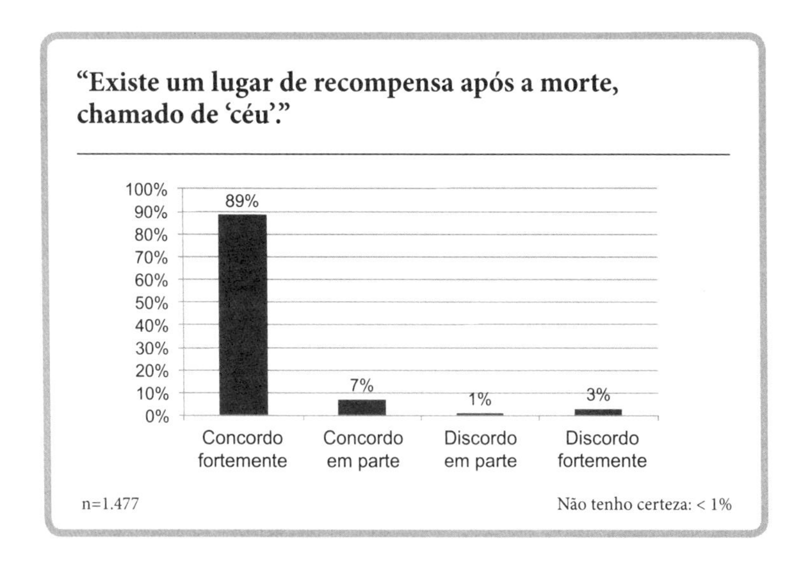

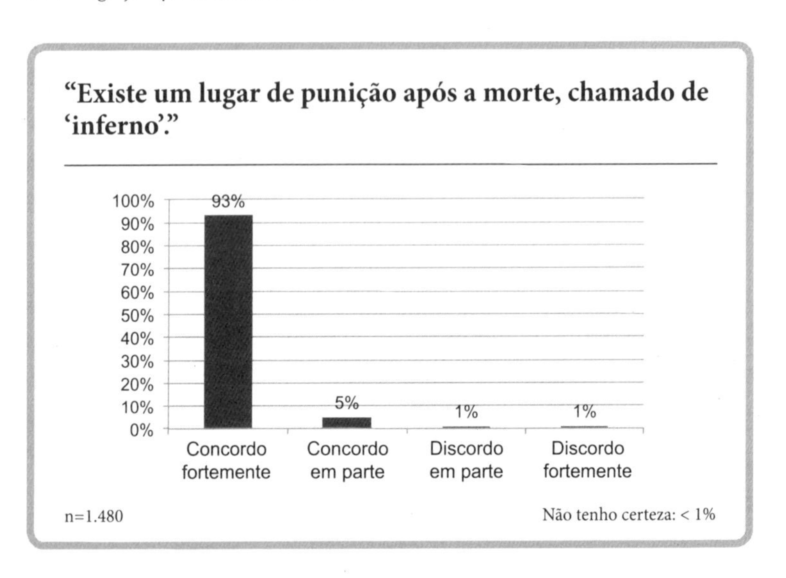

Diferenças-chave entre grupos demográficos

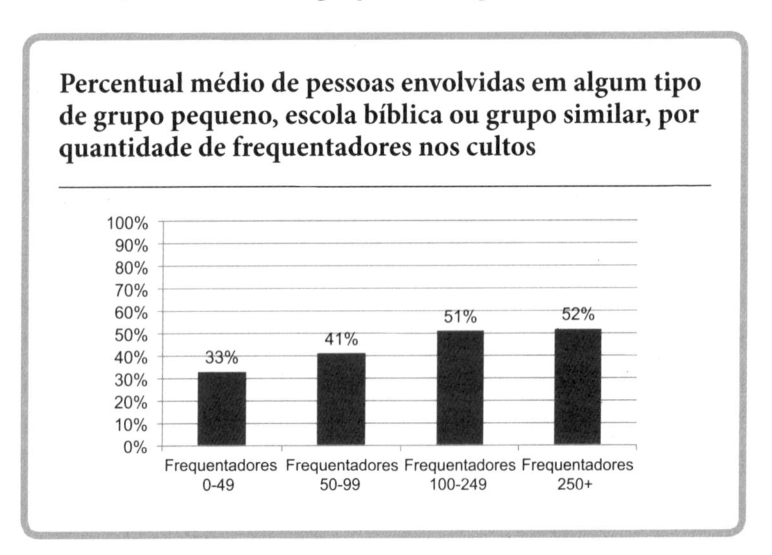

Vemos aqui que, quanto maior a quantidade de indivíduos envolvidos com experiências mais pessoais com outros cristãos, maior é a igreja. Esse dado parece apontar para o importante papel das ambiências menores no crescimento das igrejas pesquisadas. Essa pode ser uma estratégia importante para tirar muitas igrejas da estagnação ou mesmo do declínio, fato observado no último censo (2010) com relação às igrejas Presbiteriana e Congregacional, por exemplo.

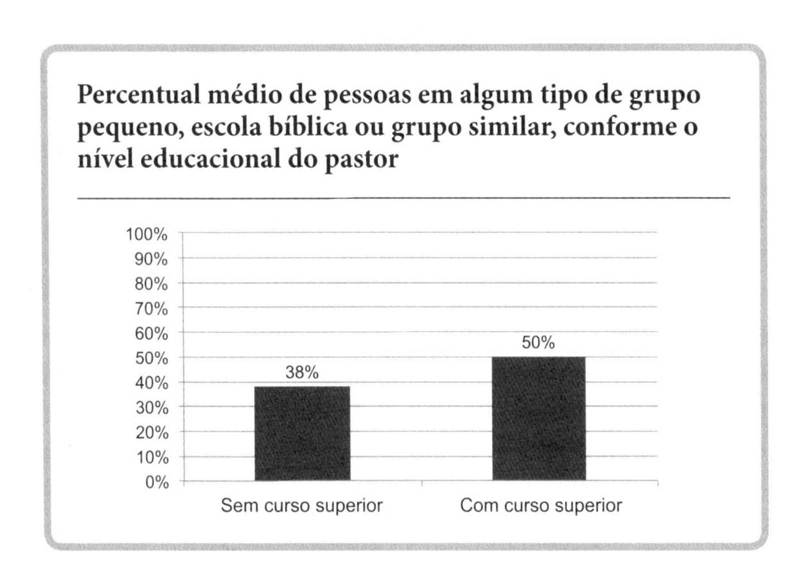

Essa constatação parece indicar que, quanto maior o nível de escolaridade do pastor, maior a participação dos membros em grupos pequenos. Isso talvez demonstre que a concentração de poder nas mãos do líder seja maior entre os menos escolarizados, o que é corroborado pelos achados sobre distância de poder tratados no capítulo sobre liderança vibrante.

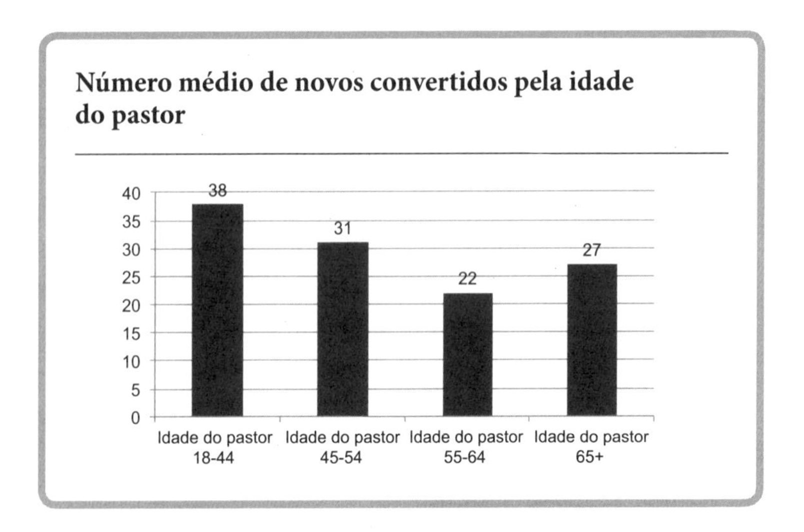

Observe-se que a quantidade média de novos convertidos nos doze meses anteriores à pesquisa é maior nas igrejas em que os pastores são mais novos, declinando nas igrejas cujos pastores têm mais idade. Entretanto, a curva muda de sentido quando comparamos pastores entre 55-64 anos e pastores com mais de 65 anos. Não temos como saber exatamente por que pastores mais novos conduzem mais pessoas para Cristo. A hipótese, a ser posteriormente pesquisada, é que eles conseguem se comunicar melhor com as novas gerações. Por outro lado, essa considerável mudança positiva entre as duas últimas faixas etárias pode se dever ao surgimento de novas lideranças auxiliares na igreja, que vão ganhando força à medida que os pastores titulares tornam-se mais idosos.

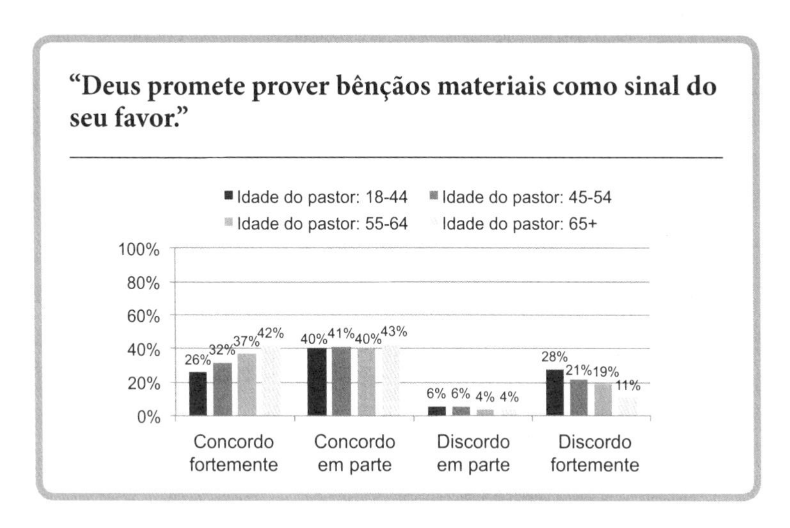

Esse achado nos surpreendeu e nos trouxe muita esperança. Observamos que os pastores mais novos (18-44 anos) são os que menos concordam com a teologia da prosperidade. Mantendo-se essa tendência, é possível que essa heresia enfraqueça cada vez mais nas próximas décadas.

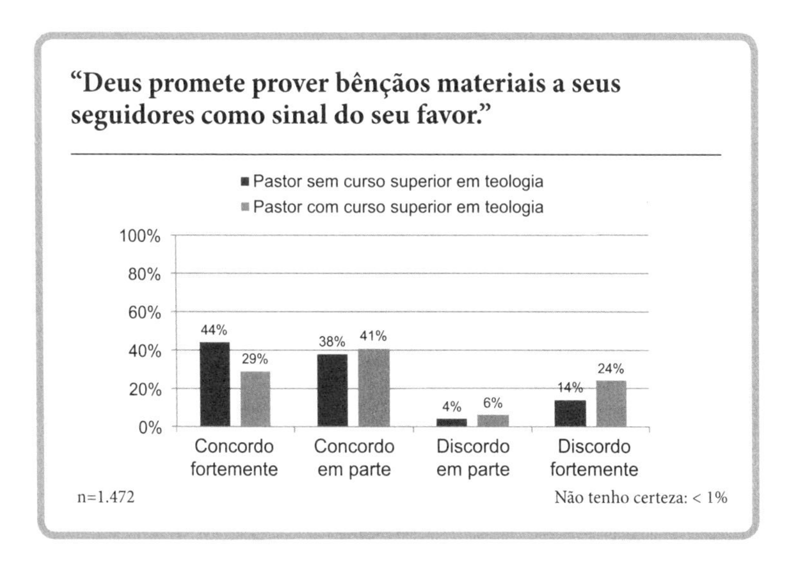

Esse dado é importante para aqueles que desconsideram ou desprezam uma formação teológica sólida para os líderes da igreja evangélica brasileira. Observe-se que, dentre os pastores sem formação superior em Teologia, 44% deles defendem a teologia da prosperidade, enquanto, dos graduados em Teologia apenas 29% defendem essa heresia.

Notas

Introdução

[1] Peter WAGNER. *Strategies for Church Growth: Tools for Effective Mission and Evangelism*. Ventura, CA: Regal Books, 1987, p. 36.
[2] George W. PETERS. *A Theology of Church Growth*. Grand Rapids, MI: Zondervan, 1981, p. 57.
[3] Robert E. LOGAN. *Beyond Church Growth: Action Plans for Developing a Dynamic Church*. Old Tappan, NJ: Revell, 1989, p. 18.

Capítulo 1

[1] "Transformation: The Bottom Line" em *City Reaching: On the Road to Community Transformation*, de Jack DENNISON. Pasadena, CA: William Carey Publishers, 1999, p. 106.
[2] *Firefall: How God Has Shaped History Through Revivals*. Nashville, TN: B&H Publishing Group, 1997, p. 278.
[3] São Paulo: Mundo Cristão, 2009.

Capítulo 2

[1] A amostra escolhida fornece 95% de confiança de que o erro de amostragem não excede mais ou menos 2,5%.

Capítulo 3

[1] Alan HIRSCH. *Forgotten Ways: Reactivating the Missional Church*. Grand Rapids, MI: Brazos Press, 2006, p. 129.

Capítulo 4

[1] Carlito Paes. *Igreja brasileira com propósitos: a explicação que faltava.* São Paulo: Vida, 2012, p. 113.

[2] Antonio José do Nascimento Filho. "O laicato na teologia e ensino dos reformadores" em *Fides Reformata*, vol. 4, n. 2, 1999. Disponível em: <http://www.mackenzie.br/fileadmin/Mantenedora/CPAJ/revista/VOLUME_IV__1999__2/Antonio_Jose.pdf>. Acesso em: 4 de jul. de 2016.

[3] Geert Hofstede. *Culture's Consequences: Comparing Values, Behaviors, Institutions and Organizations Across Nations.* Los Angeles, CA: Sage, 2001, p. 79.

[4] Geert Hofstede. *Culture's Consequences: Comparing Values, Behaviors, Institutions and Organizations Across Nations.* Los Angeles, CA: Sage, 2001. Robert J. House e outros. *Culture, Leadership and Organizations: The Globe Study of 62 Societies.* Thousand Oaks, CA: Sage, 2004. Fons Trompenaars e Charles Hampden-Turner. *Riding the Waves of Culture: Understanding Diversity in Global Business.* Nova York, NY: McGraw-Hill, 2012.

[5] Disponível em: <https://geert-hofstede.com/brazil.html> e <https://geerthofstede.com/united-states.html>. Acessos em: 3 de jun. de 2017.

[6] Robert J. House e outros. *Culture, Leadership and Organizations: The Globe Study of 62 Societies.* Thousand Oaks, CA: Sage, 2004.

[7] Geert Hofstede. *Culture's Consequences: Comparing Values, Behaviors, Institutions and Organizations Across Nations.* Los Angeles, CA: Sage, 2001, p. 113.

[8] Idem, p. 121.

Capítulo 5

[1] Augustus Nicodemus Lopes. *O que estão fazendo com a Igreja: ascensão e queda do movimento evangélico brasileiro.* São Paulo: Mundo Cristão, 2008, p. 199.

[2] Bob Logan e Tara Miller. *From Followers to Leaders.* St. Charles, IL: ChurchSmart Resources, 2007, p. 20.

[3] Timothy Keller. *The Prodigal God: Recovering the Heart of the Christian Faith.* Nova York, NY: Penguin Group, 2008, p. 124-125.

[4] Geert Hofstede, Gert Jan Hofstede e Michael Minkov. *Cultures and Organizations: Software of the Mind.* Nova York, NY: McGrawHill, 2010, p. 91.

[5] Randy Frazee. *The Connecting Church: Beyond Small Groups to Authentic Community.* Grand Rapids, MI: Zondervan, 2013, p. 113.

[6] Geert Hofstede. *Culture's Consequences: Comparing Values, Behaviors, Institutions and Organizations Across Nations.* Los Angeles, CA: Sage, 2001, p. 215.

[7] Jon S. Vincent. *Culture and Customs of Brazil.* Londres: Greenwood Press, 2003, p. 81.

[8] Robert J. House e outros. *Culture, Leadership, and Organizations: The Globe Study of 62 Societies*. 1. ed. Thousand Oaks, CA: Sage, 2004, p. 454.

Capítulo 6

[1] Iain Murray. *Revival and Revivalism: The Making and Marring of American Evangelicalism*, 1750-1858. Edimburgo: Banner of Truth Trust, 1995, p. 17.
[2] Fernando Brandão (Org.). *Igreja multiplicadora: 5 princípios bíblicos para crescimento*. Rio de Janeiro: Convicção, 2014, p. 33.
[3] Idem.
[4] Jim Cymbala. *Fresh Wind, Fresh Fire: What Happens When God's Spirit Invades the Hearts of His People*. Grand Rapids, MI: Zondervan Publishing House, 1997, p. 50.
[5] Leonard Ravenhill.*Why Revival Tarries*. Minneapolis, MN: Bethany House Publishers, 1988, p. 23.

Capítulo 7

[1] Henry Blackaby. *Created to Be God's Friend: How God Shapes Those He Loves*. Nashville, TN: Thomas Nelson, 2005, p. 83.
[2] George Barna, *Revolution*. Carol Stream, IL: Tyndale House Publishers, 2006, p. 49.
[3] Matt Redman (Org.). *The Heart of Worship Files*.Ventura, CA: Regal Books, 2003, p. 31.
[4] J. Oswald Sanders. "Intimacy Is Nourished by Worship", *Knowing and Doing*, Winter 2006, C. S. Lewis Institute, p. 1.
[5] Idem.
[6] J. Merle Davis. *How the Church Grows in Brazil: A Study of the Economic and Social Basis of the Evangelical Church in Brazil*. Nova York, NY: Department of Social and Economic Counsel/International Missionary Council, 1943, p. 83.
[7] Idem, p. 82.
[8] Idem, p. 155.
[9] William R. Read. *New Patterns of Church Growth in Brazil*. Grand Rapids, MI: Eerdmans, 1965, p. 209.
[10] Kenneth D. MacHarg. "Brazil's Surging Spirituality", *Christianity Today*, vol. 44, n. 14, 2000, p. 70-72.
[11] Debora Abenhaim e outros. "Trait Patterns of Emotional Expression and Short-Term Negative Affect Regulation in Brazil and the United States". *Annual Meeting of the Midwestern Psychological Association*. Chicago, IL, 2004.

[12] Branden Boegh e outros. "Emotional Expressivity between the United States and Brazil", *Oshkosh Scholar Undergraduate Research Journal*, vol. VII, 2012. Disponível em: <https://minds.wisconsin.edu/handle/1793/70987>. Acesso em: 7 de jul. de 2016.

[13] Fons Trompenaars e Charles Hampdem-Turner. *Riding the Waves of Culture: Understanding Diversity in Global Business.* Nova York, NY: McGrawHill, 2012, p. 95.

[14] Clayton L. Berg Jr. e Paul Pretiz. *Spontaneous Combustion: Grass Roots Christianity, Latin American Style.* Pasadena: William Carey Library, 1996, p. 141.

[15] Augustus Nicodemus Lopes. *O que estão fazendo com a Igreja: ascensão e queda do movimento evangélico brasileiro.* São Paulo: Mundo Cristão, 2008, p. 201.

Capítulo 8

[1] Paschoal Piragine Jr. *Crescimento integral da Igreja: uma visão prática de crescimento em múltiplas dimensões.* São Paulo: Vida, 2006, p. 133-134.

Capítulo 9

[1] Ed Stetzer. *Subversive Kingdom: Living as Agents of Gospel Proclamation.* Nashville, TN: B&H Publishing Group, 2012, p. 11.

[2] Ricardo Agreste. *Igreja? Tô fora.* Campinas: Socep, 2009, p. 80-81.

Conclusão

[1] C. S. Lewis. *As crônicas de Nárnia.* vol. 2. São Paulo: Martins Fontes, 2002, p. 289.

Referências bibliográficas

ABENHAIM, Debora e outros. "Trait Patterns of Emotional Expression and Short-Term Negative Affect Regulation in Brazil and the United States". *Annual Meeting of the Midwestern Psychological Association*. Chicago, IL, 2004.

AGRESTE, Ricardo. *Igreja? Tô fora*. Santa Bárbara D'Oeste: Socep, 2009.

ALENCAR, Gedeon. *Protestantismo tupiniquim: hipóteses sobre a (não) contribuição evangélica à cultura brasileira*. São Paulo: Arte Editorial, 2005.

ALLEN, Roland. *The Spontaneous Expansion of the Church*. Eugene, OR: Wipf and Stock Publishers, 1997.

ARN, Win (Ed.). *The Pastor's Church Growth Handbook*. Pasadena, CA: Church Growth Press, 1979.

BAILEY, Carol A. *A Guide to Qualitative Field Research*. Thousand Oaks, CA: Pine Forge Press, 2007.

BARRO, Jorge H. *De cidade em cidade: elementos para uma teologia bíblica de missão urbana em Lucas-Atos*. Londrina: Descoberta, 2002.

BAZELEY, Pat. *Qualitative Data Analysis with NVivo*. Los Angeles, CA: Sage, 2007.

BECKHAM, William A. *The Second Reformation: Reshaping the Church for the Twenty-First Century*. Houston, TX: Touch Publications, 1995.

BERG, Clayton L.; PRETIZ, Paul. *Spontaneous Combustion: Grass Roots Christianity, Latin American-Style*. Pasadena, CA: William Carey Library, 1996.

BINGLE, E. J.; GRUBB, Kenneth G. *World Christian Handbook*. [s.l.]: [s.n], 1952.

BOEGH, Branden e outros. "Emotional Expressivity between the United States and Brazil", *Oshkosh Scholar Undergraduate Research Journal*, vol. VII, 2012. Disponível em: <https://minds.wisconsin.edu/handle/1793/70987>. Acesso em: 7 de jul. de 2016.

BOMILCAR, Nelson. *Os sem-igreja: buscando caminhos de esperança na experiência comunitária*. São Paulo: Mundo Cristão, 2012.

BOSCH, David J. *Transforming Mission: Paradigms Shifts in Theology of Mission*. Maryknoll, NY: Orbis Books, 2011.

BRANCO, Sandra; WILLIAMS, Rob. *Brazil: The Essential Guide to Customs & Culture*. Londres: Kuperard, 2014.

BRANDÃO, Fernando. *Igreja multiplicadora: 5 princípios bíblicos para crescimento*. Rio de Janeiro: Convicção, 2014.

BRUNEAU, Thomas C. *The Church in Brazil: The Politics of Religion*. Austin, TX: University of Texas Press, 2012.

BUREAU de Pesquisa e Estatística Cristã (Bepec). *Evolução da população evangélica brasileira*. 2012. Disponível em: <http://www.genizahvirtual.com/2012/07/censo-2010-em-meio-ao-crescimento.html>. Acesso em: 8 de jul. de 2016.

BURNS, Bárbara; AZEVEDO, Décio de; CARMINATI, Paulo B. F. *Costumes e culturas: uma introdução à antropologia missionária*. São Paulo: Vida Nova, 1988.

BYASSEE, Jason. "Purpose-Driven in Brazil: Perspectives on Church Growth", *The Christian Century*, vol. 123, n. 7, p. 8-9, 2006.

CHARMAZ, Kathy. *Constructing Grounded Theory: A Practical Guide through Qualitative Analysis*. Los Angeles, CA: Sage, 2006.

CHESNUT, R. Andrew. *Born Again in Brazil: The Pentecostal Boom and the Pathogens of Poverty*. Piscataway, NJ: Rutgers University Press, 1997.

CHO, David Y.; HOSTETLER, Harold O. *Successful Home Cell Groups*. Orlando, FL: Bridge-Logos, 1981.

CLAYDON, David. *A New Vision, a New Heart, a Renewed Call*. vol. 1. Pasadena, CA: William Carey Library, 2005.

COLEMAN, Robert E. *The Master Plan of Evangelism*. Old Tappan, NJ: Revell, 1987.

CONN, Harvie M. *Planting and Growing Urban Churches*. Grand Rapids, MI: Baker Books, 1997.

COSTAS, Orlando. *Christ Outside the Gate: Mission Beyond Christendom*. Eugene, OR: Wipf and Stock Publishers, 1982.

______. *Liberating News: A Theology of Contextual Evangelization*. Eugene, OR: Wipf and Stock Publishers, 1989.

CRESWELL, John W. *Research Design: Qualitative, Quantitative, and Mixed Methods Approaches*. Los Angeles, CA: Sage, 2009.

DAVIS, J. Merle. *How the Church Grows in Brazil: A Study of the Economic and Social Basis of the Evangelical Church in Brazil*. Nova York, NY: Department of Social and Economic Counsel/International Missionary Council, 1943.

D'EPINAY, C. L. *O refúgio das massas*. Rio de Janeiro: Paz e Terra, 1970.

DEVER, Mark. *Nine Marks of a Healthy Church*. Wheaton, IL: Crossway Books, 2004.

DORNAS, Lécio. *Curando as enfermidades da igreja*. São Paulo: Hagnos, 2002.

DROOGERS, André e outros (Eds.). *Playful Religion: Challenges for the Study of Religions*. Delft: Eburon Publishers, 2006.

ELLAS, John; YEAKLEY, Flavil. "A Review of Natural Church Development", *Journal of the American Society for Church Growth*, vol. 9, p. 81-90, 1999.

ESCOBAR, Samuel. *The New Global Mission: The Gospel from Everywhere to Everyone*. Downers Grove, IL: InterVarsity Press, 2003.

FERNANDES, Rubem Cesar. *Novo nascimento: os evangélicos em casa, na igreja e na política*. Rio de Janeiro: Mauad, 1998.

FRAZEE, Randy. *The Connecting Church: Beyond Small Groups to Authentic Community*. Grand Rapids, MI: Zondervan, 2013.

GAMMON, Samuel R. *The Evangelical Invasion of Brazil: A Half Century of Evangelical Missions in the Land of the Southern Cross*. Délhi: [fac-símile], 2013. [Publicado originalmente em 1910.]

GEORGE, Carl F.; BIRD, Warren. *The Coming Church Revolution: Empowering Leaders for the Future*. Grand Rapids, MI: Baker Books, 1994.

GOHEEN, Michael W. *A igreja missional na Bíblia: luz para as nações*. São Paulo: Vida Nova, 2011.

GUDER, L. Darrel (Ed.). *Missional Church: A Vision for the Sending of the Church in North America*. Grand Rapids, MI: Eerdmans, 1998.

GUEDES, Rivanildo Segundo. *Uma igreja com a nossa cara*. São Paulo: Fonte Editorial, 2010.

HARNEY, Kevin G.; BOUWER, Bob. *The U-Turn Church*. Grand Rapids, MI: Baker Books, 2011.

HEANEY, Sharon E. *Contextual Theology for Latin America*. Eugene, OR: Wipf and Stock, 2008.

HESSELGRAVE, David J. *A comunicação transcultural do evangelho*. vol. 1. São Paulo: Vida Nova, 1994.

______. *A comunicação transcultural do evangelho*. vol. 2. São Paulo: Vida Nova, 1995.

HIEBERT, Paul G. *O evangelho e a diversidade das culturas: um guia de antropologia missionária*. São Paulo: Vida Nova, 1999.

HOFSTEDE, Geert H. *Culture's Consequences: Comparing Values, Behaviors, Institutions and Organizations Across Nations*. Los Angeles, CA: Sage, 2001.

______; HOFSTEDE, Gert J.; MINKOV, Michael. *Cultures and Organizations: Software of the Mind*. Nova York, NY: McGraw-Hill, 2010.

HOUSE, R. J. e outros. *Leadership, Culture and Organizations: The Globe Study of 62 Nations*. Thousand Oaks, CA: Sage, 2004.

HULL, Bill. "Is the Church Growth Movement Really Working?" em HORTON, Michael Scott (Ed.). *Power Religion: The Selling out of the Evangelical Church*. Chicago, IL: Moody, 1992, p. 117-132.

HUNTER III, George G. "The Legacy of Donald A. McGavran", *International Bulletin of Missionary Research*, vol. 16, n. 4, p. 158-162, 1992.

HYBELS, Lynne; HYBELS, Bill. *Rediscovering Church: The Story and Vision of Willow Creek Community Church*. Grand Rapids, MI: Zondervan, 1995.

INSTITUTO BRASILEIRO DE GEOGRAFIA E ESTATÍSTICA (IBGE). *Censo demográfico 2010: características gerais da população, religião e pessoas com deficiência*. Disponível em: <http://biblioteca.ibge.gov.br/visualizacao/periodicos/94/cd_2010_religiao_deficiencia.pdf>. Acesso em: 9 de ago. de 2016.

JENKINS, Philip. "Mass Appeal in Brazil", *The Christian Century*, vol. 126, n. 22, p. 45, 2009.

______. *The Next Christendom*. Nova York, NY: Oxford University Press, 2011.

KELLER, Timothy. *A igreja centrada: desenvolvendo em sua cidade um ministério equilibrado e centrado no evangelho*. São Paulo: Vida Nova, 2012.

KIRKPATRICK, Dow (Ed.). *Faith Born in Struggle for Life: A Rereading of Protestant Faith in Latin America Today*. Grand Rapids, MI: Eerdmans, 1988.

KÖSTENBERGER, Andreas; O'BRIEN, Peter T. *Salvation to the Ends of the Earth: A Biblical Theology of Mission*. Downers Grove, IL: InterVarsity Press, 2001.

LAWLER, Steph. "Narrative in Social Research" em MAY, Tim (Ed.). *Qualitative Research in Action*. Thousand Oaks, CA: Sage, 2002, p. 242-260.

LÉONARD, É. G. "L'illuminisme dans un protestantisme de constitution récente (Brésil)", *Revue de l'histoire des religions*, vol. 141, n. 1, p. 26-83. Disponível em: <http://dx.doi.org/10.3406/rhr.1952.5848>. Acesso em: 7 de jul. de 2016.

LOCKE, John L. *Why We Don't Talk to Each Other Anymore: The De-Voicing of Society*. Nova York, NY: Touchstone, 1998.

LOGAN, Robert E. *Beyond Church Growth*. Old Tappan, NJ: Revell, 1989.

LOPES, Augustus N. *Decisões da IPB sobre o culto público*. Disponível em: <http://tempora-mores.blogspot.com.br/2011/01/decisoes-da-ipb-sobre-o-culto-publico.html>. Acesso em: 1 de set. de 2016.

______. *O que estão fazendo com a Igreja: ascensão e queda do movimento evangélico brasileiro*. São Paulo: Mundo Cristão, 2008.

MACCHIA, Stephen A. *Becoming a Healthy Church*. Grand Rapids, MI: Baker, 1999.

MACHARG, Kenneth D. "Brazil's Surging Spirituality", *Christianity Today*, vol. 44, n. 14, p. 70-72, 2000.

MALPHURS, Aubrey. *Planting Growing Churches for the Twenty-First Century*. Grand Rapids, MI: Baker Books, 1998.

MANCINI, Will. *Church Unique: How Missional Leaders Cast Vision, Capture Culture, and Create Movement.* San Francisco, CA: Jossey-Bass, 2008.

MARIANO, Ricardo. "Crescimento pentecostal no Brasil: fatores internos", *Revista de Estudos da Religião*, ano 8, n. 4, 2008.

MARIZ, Cecília Loreto. *Coping with Poverty: Pentecostals and Christian Base Communities in Brazil.* Filadélfia, PA: Temple University Press, 1994.

MARTIN, David. *Tongues of Fire: The Explosion of Protestantism in Latin America.* Oxford, UK: Blackwell, 1993.

______. *Pentecostalism: The World Their Parish.* Oxford, UK: Blackwell, 2001.

MATOS, Alderi S. de. "Breve história do protestantismo no Brasil", *Revista de Ciências Humanas e Letras das Faculdades Integradas da Fama*, vol. 3, n. 1, 2011. Disponível em: <http://www.faifa.edu.br/revista/index.php/voxfaifae/article/view/27>. Acesso em: 8 de jul. de 2016.

MATSUMOTO, David; JUANG, Linda. *Culture and Psychology.* Belmont, CA: Wadsworth, 2004.

MCGAVRAN, Donald A. *How Churches Grow.* Londres: World Dominion Press, 1959.

______. *Understanding Church Growth.* Grand Rapids, MI: Eerdmans, 1980.

______. *The Bridges of God: A Study in The Strategy of Missions.* Eugene, OR: Wipf and Stock, 2005.

MCINTOSH, Gary L. *One Size Doesn't Fit All: Bringing out the Best in Any Size Church.* Grand Rapids, MI: Baker Books, 2004.

______; ENGLE, Paul. *Evaluating the Church Growth Movement: Five Views.* Grand Rapids, MI: Zondervan, 2004.

MENDONÇA, Antônio Gouvêa; VELASQUES FILHO, Prócoro. *Introdução ao Protestantismo no Brasil.* São Paulo: Loyola, 1990.

MERRIAM, Sharan B. *Qualitative Research: A Guide to Design and Implementation.* San Francisco, CA: Jossey-Bass, 2009.

MORRIS, Fred B. "The Church in Brazil: Old Problems, New Challenges", *Theology Today*, vol. 50, n. 1, p. 105-113, 1993.

MULDER, M. *The Daily Power Game.* Leiden: Martinus Nijhoff, 1977.

NEWBIGIN, Lesslie. *Sign of the Kingdom.* Grand Rapids, MI: Eerdmans, 1980.

______. *The Other Side of 1984: Questions for the Churches.* Genebra: World Council of Churches, 1984.

______. *The Gospel in a Pluralistic Society.* Grand Rapids, MI: Eerdmans, 1989.

______. *The Open Secret: An Introduction to the Theology of Mission.* Grand Rapids, MI: Eerdmans, 1995.

______. *Trinitarian Doctrine for Today's Mission.* Eugene, OR: Wipf and Stock Publishers, 2006.

NOLL, Mark A. *The New Shape of World Christianity: How American Experience Reflects Global Faith.* Downers Grove, IL: IVP Academic, 2009.

OLIVEIRA, Estevam F. *O espetáculo do sagrado.* Niterói: Epígrafe, 2011.

OTT, Craig; WILSON, Gene. *Global Church Planting: Biblical Principles and Best Practices for Multiplication.* Grand Rapids, MI: Baker Academic, 2011.

PADILLA, C. René. *Missão integral: o reino de Deus e a igreja.* Viçosa: Ultimato, 2012.

______; YAMAMORI, Tetsunao (Orgs.). *Projeto de Deus e as necessidades humanas: missão integral e suas práticas.* Santo André, SP: Academia Cristã, 2015.

PAES, Carlito. *Igreja brasileira com propósitos: a explicação que faltava!* São Paulo: Vida, 2012.

PATON, Michael Quinn. *Qualitative Research and Evaluating Methods.* Thousand Oaks, CA: Sage, 2002.

PAYNE, J. D. *Roland Allen: Pioneer of Spontaneous Expansion.* [s.l.]: [s.n.], 2012.

PEREIRA, J. Reis; PEREIRA, Clóvis M.; AMARAL, Othon. *História dos batistas no Brasil: 1882-2001.* Rio de Janeiro: Juerp, 2001.

PERKINS, Robert K. *Bringing Home the Message: How Community Can Multiply the Power of the Preached Word.* Eugene, OR: Cascade Books, 2014.

PETERS, George W. *A Theology of Church Growth.* Grand Rapids, MI: Zondervan, 1981.

PLUEDDEMANN, James E. *Leading Across Cultures: Effective Ministry and Mission in the Global Church.* Madison, WI: InterVarsity Press, 2009.

PRIEN, Hans Jürgen. *Formação da igreja evangélica no Brasil.* São Leopoldo: Sinodal/Vozes, 2001.

RAINER, Thom S. *The Book of Church Growth: History, Theology, and Principles.* Nashville, TN: Broadman and Holman, 1993.

______; GEIGER, Eric. *Simple Church.* Nashville, TN: Broadman and Holman, 2006.

READ, William R. *New Patterns of Church Growth in Brazil.* Grand Rapids, MI: Eerdmans, 1965.

______; MONTERROSO, Victor M.; JOHNSON, Harmon A. *Latin American Church Growth.* Grand Rapids, MI: Eerdmans, 1969.

______; INESON, Frank A. *Brazil 1980: The Protestant Handbook – The Dynamics of Church Growth in the 1950s and 60s, and the Tremendous Potential for the 70s.* Monrovia, CA: MARC, 1973.

REILY, Duncan Alexander. *História documentada do protestantismo no Brasil.* São Paulo: Aste, 2003.

RICHARDS, Lyn. *Handling Qualitative Data: A Practical Guide.* Los Angeles, CA: Sage, 2009.

RICHARDSON, Don. *O fator Melquisedeque: o testemunho de Deus nas culturas por todo o mundo.* São Paulo: Vida Nova, 2008.

Robinson, John L. "Historical Factors in Protestant Church Growth in Brazil", *Restoration Quarterly*, vol. 14, n. 2, p. 80-100, 1971.

Roxburgh, Alan J.; Boren, Scott M. *Introducing the Missional Church: What It Is, Why It Matters, How Become One*. Grand Rapids, MI: Baker Books, 2009.

Schwarz, Christian A. *Natural Church Development: A Guide to Eight Essential Qualities of Healthy Churches*. Saint Charles, IL: ChurchSmart Resources, 2006.

Seidman, Irving. *Interviewing as Qualitative Research: A Guide for Researchers in Education and the Social Sciences*. Nova York, NY: Teachers College Press, 2013.

Sensing, Tim. *Qualitative Research: A Multi-Methods Approach to Projects for Doctor of Ministry Theses*. Eugene, OR: Wipf and Stock, 2011.

Shaull, R.; Cesar, W. *Pentecostalism and the Future of the Christian Churches*. Grand Rapids, MI: Eerdmans, 2000.

Simpson, Dan (Ed.). "Natural Church Development", *Ministry Advantage*, vol. 7, n. 4, p. 12, 1997.

Smith, Peter B. "To Lend Helping Hands: In-Group Favoritism, Uncertainty, Avoidance, and the National Frequency of Pro-Social Behaviors", *Journal of Cross-Cultural Psychology*, vol. 46, n. 6, p. 759-761, 2015.

Stark, Rodney; Bainbridge, William Sims. *A Theory of Religion*. New Brunswick, NJ: Rutgers University Press, 1996.

Stetzer, Ed. "The Evolution of Church Growth, Church Health, and the Missional Church: An Overview of the Church Growth Movement from, and Back to, Its Missional Roots", *Journal of the American Society of Church Growth*, vol. 8, p. 1-35, 2006.

______. "Five Characteristics of Transformative Small Groups", *Christianity Today*. Disponível em: <http://www.christianitytoday.com/edstetzer/2012/july/five-characteristics-of-transformative-small-groups.html>. Acesso em: 16 de jul. de 2014.

______. *Subversive Kingdom: Living as Agents of Gospel Transformation*. Nashville, TN: Broadman and Holman, 2012.

______; Putman, David. *Breaking the Missional Code: Your Church Can Become a Missionary in Your Community*. Nashville, TN: Broadman and Holman, 2006.

______; Rainer, Thom S. *Transformational Church: Creating a New Scorecard for Congregations*. Nashville, TN: Broadman and Holman, 2010.

______; Bird, Warren. *Viral Churches: Helping Church Planters Become Movement Makers*. San Francisco, CA: Jossey-Bass, 2010.

Steuernagel, Valdir. *Obediência missionária e prática histórica: em busca de modelos*. São Paulo: ABU, 1993.

STOLL, David. *Is Latin America Turning Protestant? The Politics of Evangelical Growth*. Los Angeles, CA: University of California Press, 1990.

STROBEL, Lee. *Inside the Mind of Unchurched Harry and Mary*. Grand Rapids, MI: Zondervan, 1993.

THOMPSON, James W. *Pastoral Ministry According to Paul: A Biblical Vision*. Grand Rapids, MI: Baker Books, 2006.

THUMMA, S. L. "Methods for Congregation Study" em AMMERMAN, Nancy T. e outros (Eds.). *Studying Congregations: A New Handbook*. Nashville, TN: Abingdon Press, 1988, p. 196-240.

TOTA, Antônio Pedro. *The Seduction of Brazil*. Austin, TX: University of Texas Press, 2009.

TOWNS, Elmer L.; VAUGHAN, John N.; SEIFERT, David J. *The Complete Book of Church Growth*. Wheaton, IL: Tyndale, 1986.

TOWNS, Elmer. "Effective Evangelism View: Church Growth Effectively Confronts and Penetrates the Culture" em ENGLE, Paul E.; MCINTOSH, Gary L. (Eds.). *Evaluating the Church Growth Movement*. Grand Rapids, MI: Zondervan, 2004, p. 29-53.

TRACY, Sarah J. *Qualitative Research Methods: Collecting Evidence, Crafting Analysis, Communicating Impact*. West Sussex: Wiley-Blackwell, 2013.

TROMPENAARS, Fons; HAMPDEM-TURNER, Charles. *Managing People Across Cultures*. Londres: Capstone Publishing, 2004.

______. *Riding the Waves of Culture: Understanding Diversity in Global Business*. Nova York, NY: McGraw-Hill, 2012.

TUCKER, H. C. "Brazil" em *Protestant Missions in South America*. Nova York, NY: Young People's Missionary Movement of the United States and Canada, 1980.

VALENTE, Rubia R. "Institutional Explanations for the Decline of the Congregação Cristã no Brasil", *Pentecostudies: An Interdisciplinary Journal for Research on the Pentecostal and Charismatic Movements*, vol. 14, n. 1, p. 72-96, 2015.

VAN ENGEN, Charles. *Povo missionário, povo de Deus: por uma redefinição do papel da igreja local*. São Paulo: Vida Nova, 1991.

______. "Centrist View: Church Growth Is Based on an Evangelistically Focused and a Missiologically Applied Theology" em ENGLE, Paul E; MCINTOSH, Gary L. (Eds.). *Evaluating the Church Growth Movement*. Grand Rapids, MI: Zondervan, 2004, p. 121-147.

VAN RHEENEN, Gailyn. "Reformist Response" em ENGLE, Paul E; MCINTOSH, Gary L. (Eds.). *Evaluating the Church Growth Movement*. Grand Rapids, MI: Zondervan, 2004, p. 58-62.

______; PARKER, Antony. *Missions: Biblical Foundations and Contemporary Strategies*. Grand Rapids, MI: Zondervan, 2014.

Verkuyl, Johannes. *Contemporary Missiology: An Introduction*. Grand Rapids, MI: Eerdmans, 1978.

Vincent, Jon S. *Culture and Customs of Brazil*. Londres: Greenwood Press, 2003.

Viola, Frank. *Reimaginando a igreja: para quem busca mais do que simplesmente um grupo religioso*. Brasília: Palavra, 2009.

Vyhmeister, Nancy. *Your Guide to Writing Quality Research Papers: For Students of Religion and Theology*. Grand Rapids, MI: Zondervan, 2008.

Wagner, C. Peter. *Your Church Can Grow*. Ventura, CA: Regal Books, 1967.

______. *Strategies for Church Growth*. Ventura, CA: Regal Books, 1987.

______. *The Healthy Church*. Ventura, CA: Regal, 1996.

Warren, Rick. *The Purpose Driven Church*. Grand Rapids: Zondervan, 2011.

Willems, Emilio. *Followers of the New Faith: Culture Change and the Rise of Protestantism in Brazil and Chile*. Nashville, TN: Vanderbilt University Press, 1967.

______. "Validation of Authority in Pentecostal Sects of Chile and Brazil", *Journal for the Scientific Study of Religion*, vol. 6, n. 2, p. 253-258, 1967.

Wright, Christopher J. H. *A missão de Deus: desvendando a grande narrativa da Bíblia*. São Paulo: Vida Nova, 2014.

Yin, R. K. *Case Study Research: Design and Methods*. Thousand Oaks, CA: Sage, 2003.

Sobre os autores

Ed Stetzer é pastor na The Moody Church e ocupa a Cadeira de Distinção Billy Graham para Igreja, Missão e Evangelismo no Wheaton College (EUA). Também serve como diretor executivo do Centro Billy Graham para Evangelismo, na mesma instituição. Foi diretor executivo da LifeWay Research. Concluiu dois mestrados (Liberty University e Southern Baptist Theological Seminary) e dois doutorados (Beeson Divinity School e Southern Baptist Theological Seminary), além de ter escrito diversos livros nas áreas de missiologia, cultura, plantação e revitalização de igrejas. É também editor colaborador da revista *Christianity Today*. Casado com Donna Stetzer, tem três filhas: Kristen, Jaclyn e Kaitlyn. (www.edstetzer.com)

Sérgio Queiroz é engenheiro civil e bacharel em Direito pela Universidade Federal da Paraíba (UFPB), além de bacharel em Teologia pela Faculdade Teológica Sul-Americana. Concluiu o mestrado em Teologia pelo Instituto Bíblico Betel Brasileiro e também o mestrado em Filosofia pela UFPB. É doutor em Ministério na área de Liderança e Gestão Ministerial pela Trinity Evangelical Divinity School (EUA). É procurador da Fazenda Nacional, pastor titular da Primeira Igreja Batista do Bessamar, em João Pessoa (PB), presidente da Fundação Cidade Viva e diretor-geral da Faculdade Internacional Cidade Viva. Casado com Samara Queiroz, tem três filhos: Sérgio Augusto, Esther e Débora. (www.sergioqueiroz.com.br)

Conheça outras obras de

Sérgio Queiroz

- Gloriosas ruínas
- Uma nova reforma (coautor)

Veja mais em:

Compartilhe suas impressões de leitura escrevendo para:
opiniao-do-leitor@mundocristao.com.br
Acesse nosso *site:* www.mundocristao.com.br.

Equipe MC:	Maurício Zágari (editor)
	Heda Lopes
	Natália Custódio
Diagramação:	Felipe Marques
Preparação:	Luciana Chagas
Revisão:	Josemar de Souza Pinto
Fonte:	Minion Pro
Gráfica:	Imprensa da Fé
Papel:	Polen Soft 70 g/m^2 (miolo)
	Cartão 250 g/m^2 (capa)